1.ª edición, noviembre 1997
2.ª edición, octubre 1998

ISBN: 84-207-8290-4
Depósito legal: M. 36.651/1998
Impreso en Artes Gráficas Palermo, S. L.
Impreso en España - Printed in Spain

ESPACIO

Colección dirigida por
Norma Sturniolo

ABIERTO

ESPACIO
ABIERTO

Diseño y cubierta de
Manuel Estrada

ESPACIO ABIERTO

Lorenzo Silva

Algún día, cuando pueda llevarte a Varsovia

ANAYA

Para M.ª Ángeles, por su música.

*La gente tiene una gran opinión
acerca de las ventajas de la experiencia.
Pero a ese respecto, la experiencia significa
siempre algo desagradable, porque es contraria
al encanto y la inocencia de las ilusiones.*

Joseph CONRAD, *La línea de sombra.*

1

Dejad que empiece Roberto

Esta historia, como todas las historias, puede empezar a contarse de muchas maneras. Podría empezar a contarla por el principio del todo, es decir, por la primera vez que oí la palabra *Varsovia* y su sonido suave y profundo acarició mi imaginación. La faena es que no me acuerdo de cuándo ni cómo ocurrió eso. Debió ser en el colegio, en clase de Geografía, o quizá en la tele, por cualquier noticia que algún día viniera de allí. También podría empezar a contar por el final, por el momento en que Varsovia dejó de ser una simple palabra y se convirtió para siempre en una especie de música encantada. De esto sí que me acuerdo. O incluso podría empezar por contar cómo aprendí a escuchar aquella música, que seguramente sea lo más importante de la historia. Pero voy a empezar justo por la otra punta, por lo que menos importa de todo. Empezaré con algo que le oí a Roberto.

Hace un año y pico, volvieron a alquilar el Sexto B. Llevaba vacío desde que se habían ido los anteriores inquilinos, dejando un montón de meses sin pagar, catorce gatos salvajes y doscientas cincuenta y ocho bolsas de basura, según contó la policía. Teniendo en cuenta esos antecedentes, en parte era lógico que a todos les preocupara quiénes pudieran ser los nuevos vecinos, y cuando se supo que eran unos inmigrantes polacos, en el portal entero se desató la alarma. Pero el peor de todos fue Mariano, como de costumbre. Mariano es el vecino del Cuarto A y el padre de Roberto. Dijo Mariano, y así nos lo contó tan orgulloso Roberto, para que nos enterásemos de lo que vale un peine y de lo que puede llegar a valer un padre:

—Esto nos pasa por vivir en esta mierda de barrio. Ya sólo falta que empiece a llenarse el portal de moros y de negros.

Entonces yo, porque a veces me apetece rascarles un poco a los tipos como Roberto, para que se suelten y vean que casi nunca saben lo que dicen, le pregunté qué tendría de malo que el portal estuviera lleno de moros y de negros, y qué era lo que hacía, pongamos por caso, a su padre mejor que un moro o un negro. Roberto, creyendo demostrar una gran ocurrencia, se plantó y me soltó, tan ancho:

—Los negros y los moros vienen de África, hermosa, y por algo África está debajo de donde estamos nosotros, en todos los mapas.

—Vaya razón —contesté, aguantándome la rabia, porque lo último que me apetecía era que aquel cretino me llamara *hermosa*.

—Bueno, es que está muy claro —explicó, como si yo le diera lástima—. Lo mires como lo mires. Por ejemplo: con los moros hemos tenido bastantes guerras y nosotros las hemos ganado todas, desde la Reconquista hasta la Guerra del Golfo.

—¿Alguna cosa más? —dije, con retintín.

—Sí, que los moros y los negros hacen los peores trabajos en las obras y en el campo, y además lavan los coches y recogen nuestra basura, mientras que nosotros no recogemos la suya —sentenció, con aire definitivo.

A ratos me da por pensar que por mucha publicidad contra el racismo que pongan en la tele y en los periódicos y en las paradas de autobús, es sobre todo con ideas como las de Roberto con lo que se maneja una buena parte de la gente. Y aunque Roberto sea un animal que te tumba de espaldas, por lo menos suelta lo que siente y no disimula como los que dicen que todos somos iguales y luego les daría una lipotimia o algo todavía peor si vieran de pronto a su hija abrazada a alguien demasiado moreno por la calle. Ni siquiera estoy muy segura de que mi padre, que tampoco es que sea una mala persona, celebrase mucho que a mí me diera por querer a alguien demasiado moreno. Más bien me temo que no iba a ser un partidario entusiasta del idilio. Pero como todas estas cosas me deprimen y me desconciertan un poco y no me gusta deprimirme ni desconcertarme, ni siquiera un poco, dejé el asunto y a Roberto por imposibles y sólo quise ponerle en evidencia en una de las tonterías que había dicho, la que venía más a mano a propósito de los nuevos vecinos:

—Si es por lo del mapa, no sé qué tiene tu padre contra los polacos. Debería darse cuenta de que más bien son ellos los que no deberían querer vivir en el mismo portal que tu padre o que ninguno de nosotros, porque Polonia está bastante más arriba que España en todos los mapas. Lo menos quince o veinte centímetros en el planisferio del instituto, lo que deben ser en la realidad un par de miles de kilómetros.

—Pero los polacos son ex comunistas, y eso es casi tan malo como ser negro —respondió Roberto, que tenía una salida idiota para cualquier ocasión.

Ahí se me ocurrió que desde luego la vida es una injusticia. Roberto, por muy ignorante que sea, sabía como yo y como todos que lo de ser comunistas no fue culpa de los polacos. Nadie es comunista aposta. Como dice mi tío Álex, que es la única persona que yo conozco que ha sido comunista, y habrá que suponer que sabe de lo que habla, cualquiera prefiere tener coche bueno y electrodomésticos y marcharse de vacaciones en verano, y no aguantar que le racionen la comida y luego se hunda el país y todo se llene de mafiosos y no haya más remedio que emigrar al extranjero. En la vida hay varias cosas que me gustan y otras que me dan un asco que no lo soporto, y una de las que más asco me dan es ver cómo alguien que no sufre tiene el desparpajo de reírse de otro que sufre y que no tiene la culpa de sufrir. Siempre me parece que los que sufren son mejores y los que se ríen de los que sufren una porquería, y me pregunto cómo es posible que la porquería quede encima, y que los polacos hayan tenido la desgracia de haber sido comunistas y el borrico de Roberto viva tan campante con esas ideas tan obtusas que le contagia su padre.

Otra cosa que me costaba entender era cómo a todo el mundo le molestaba que vinieran a vivir al portal los polacos, cuando eran la gente más guapa y perfecta que yo había visto en mi vida, tanto o más que la que sale en las películas americanas, donde todas son como cualquier chica de aquí querría ser, aunque personalmente me reviente reconocerlo. A la primera que vi fue a la madre, que era una señora de más de cuarenta años y así y todo tenía una piel de porcelana y unos ojos azules que daban ganas de comprárselos. Luego me crucé con la hija mayor, que tenía los mismos ojos azules, o todavía más bonitos, y era como una modelo, alta, rubia y dulce. Yo iba con el hámster, y aunque todavía es demasiado joven para eso que los hombres llaman entender de mujeres, el muy granuja se quedó embobado. Hasta tal punto que durante diez minutos o más, después de tropezarnos con la chica, me fue imposible hacerle mantener una conversación coherente. El hámster, para irnos entendiendo, es mi hermano pequeño, Adolfo. Le he puesto otros motes, como *Arnoldo* o *el piojo*, pero *el hámster* es de lejos el que más le fastidia y por eso es el que uso para hacerle sentir mi autoridad, ahora que todavía le puedo. Dentro de cinco años será como Roberto o más alto y tendré que sustituir la ironía por la diplomacia. Una chica siempre tiene recursos, y más ante algo tan torpe y tan inocente como suele ser un chico.

Cuando Roberto nos hizo saber las primeras impresiones de su padre acerca de los nuevos vecinos, yo no conocía de los polacos más que a la madre y a la hija mayor. Y pensé que si se trataba de una cuestión de distinción física, por la cosa del racismo, desde luego Roberto no era el más indicado para alzar la voz y mirarlas por encima del hombro, a nada que se parase a comparar con la sección femenina de su familia. Aunque las dos polacas no hubieran sido nada más que resultonas, le habrían sacado muchos largos a su madre, que pesa unos ochenta kilos y tiene un bigote en el que se pueden afilar cuchillos de pescadero. Y si se trataba de otra clase de distinción, tampoco acertaba yo a ver dónde estaba la ventaja de la madre de Roberto o de cualquiera de su familia. Pero la razón por la que Roberto y el padre de Roberto se permitían el lujo de creerse superiores a los polacos era más bien otra. Lo que hacía que la llegada al portal de aquellos polacos tan rubios y maravillosos fuera para ellos un adelanto de la llegada de los negros y los moros, con lo que la llegada de los negros y los moros significaba para Roberto y para su padre, era sencillamente que los nuevos vecinos no tenían dinero, y no es que no tuvieran dinero en absoluto, porque al menos tendrían el dinero necesario para pagar la fianza del piso, sino que no tenían el suficiente para comprarse más ropa de la que necesitaban ni vaqueros de marca, y tampoco podrían nunca aparcar delante del bloque un coche con doble *airbag* y con tracción integral. Según recalcaba muy ufano Roberto, que *sólo* usaba vaqueros de marca, su coche, o mejor dicho el de su padre, tenía doble *airbag* y tracción integral, mientras que los polacos habían traído de su país un cascajo que *ni siquiera* tenía motor de inyección.

El asunto del dinero, o más bien de la falta de dinero que todos les suponían, aunque al decirlo los demás vecinos del portal no fueran tan cafres como Roberto y su padre, era sin duda lo que a la gente le preocupaba principalmente de que vinieran a vivir allí los polacos. Incluso Tania, la del Segundo D, que siempre procura ser prudente y nunca habla mal de nadie, le advirtió a mi madre:

—A partir de ahora habrá que vigilar la cuenta del teléfono. Me han contado que los polacos son expertos en hacer puentes con las líneas telefónicas para llamar a su país, y que luego se van y cuando te quieres dar cuenta te dejan una factura de cien mil pesetas y te toca a ti pelear con la Telefónica, porque a la compañía le importa un pimiento si alguien se enganchó a tu línea o fuiste tú quien hizo el gasto.

Cristina, la del piso al lado del nuestro, o sea, el Quinto A, que no es ni mucho menos tan prudente como Tania y que casi siempre está hablando mal de alguien, tenía otro miedo, y también trató de metérselo en el cuerpo a mi madre:

—Lo malo es que nunca vienen solos. Éstos son los primeros y no parecen muchos. Hasta ahora, dos chicos y el matrimonio. Pero verás como se les ocurra llamar a todos los de su familia, y nos encontremos con catorce o quince polacos metidos en el piso, durmiendo en colchonetas y viviendo como puercos.

Yo oía todas estas murmuraciones y me acordaba de la señora o de la chica a quienes yo había visto, tan delicadas y silenciosas que casi era como si se empeñaran en no hacer más ruido del indispensable. Me acordaba de su mirada azul y transparente, y de su aire un poco soñador y melancólico, y me enfadaba porque las vecinas hablaran de ellas como presuntas ladronas telefónicas o como avanzadilla de una especie de plaga que iba a arruinar nuestra vida. Ni siquiera les daban la oportunidad de probar que traían otras intenciones, y todo porque eran inmigrantes que no tenían mucho dinero y ya se daba por descontado que como todos los inmigrantes pobres venían a quitarnos una parte de lo bueno que teníamos nosotros. A mí me costaba admitir que fuera decente maltratar de esa forma a cualquiera que llegara empujado por la necesidad, así viniera de Polonia o de África o de Sudamérica o de la China, pero lo que más me repateaba de aquel desprecio era que estaba segura de que si aquella gente tan rubia, exactamente la misma, hubiera venido en un Mercedes nuevo y reluciente, todos se habrían dado de tortazos por ser amigos suyos.

Ya que he empezado con la burrada del padre de Roberto, que el propio Roberto repetía por ahí tan contento a todo el que quisiera escucharle, y aunque es posible que no sea la mejor manera de empezar, acabaré de sacarle el jugo, y hablaré de lo que me queda de ella, que fue lo que más me cabreó de todo.

Además de ser un par de asquerosos racistas, Roberto y su padre se permitían despreciar nuestro barrio. Yo me imagino cuáles son los barrios que le gustan al padre de Roberto. A fin de cuentas, no es más que un envidioso de poca monta, y seguro que habría querido vivir en una urbanización de chalés con piscina y poder dejar este bloque que se le hace demasiado poco para sus merecimientos, entre otras cosas porque es un bloque al que pueden mudarse unos polacos que nunca podrían mudarse, en cambio, a una urbanización de chalés con piscina. Ni yo ni nadie puede saber qué razones tiene el padre de Roberto para creer que se lo merece todo, o por lo menos que este barrio no se lo merece y sí habría merecido tener un chalé con piscina, pero lo que a mí me parece es que ni él ni Roberto merecen vivir en el barrio, al que tienen en tan poco aprecio. Los que se pasan la vida culo veo culo quiero, y no le prestan ni atención ni cariño a las cosas que la suerte les ha concedido, no se merecen tener nada, y menos que nada, lo que tienen y no quieren ni cuidan. Eso es por lo menos lo que yo creo, y por eso me gusta mi barrio y estoy tan contenta de vivir en él.

Pienso ahora en una sensación que tengo todos los años, a finales de agosto, cuando volvemos de la playa, que es siempre por la tarde y hace calor, aunque ya no tanto, porque en Getafe, la ciudad donde está mi barrio, hace más calor en julio. La sensación en cuestión es que apenas llegamos me entra un no sé qué por las venas y un regusto en el corazón, y me entra simplemente por la alegría de volver a ver el parque y la plaza y nuestro bloque. No soy tan tonta como para no darme cuenta de que a lo mejor objetivamente es mucho más bonito el sitio de playa del que venimos, porque para empezar esos sitios tienen mar y el mar ya es una ventaja, así como tampoco lo soy para no reconocer que un chalé muy grande, con tejado de pizarra y todo con césped alrededor, en fin, pues seguramente también es más bonito que mi bloque, que ya no es muy nuevo y tiene todas las terrazas cerradas con aluminio plateado. Pero mi bloque y mi barrio son míos, y en ellos he vivido todas las cosas buenas y también las menos buenas de las que me acuerdo, y subjetivamente, que es lo que a mí me importa, a su lado no tienen nada que hacer las playas más paradisíacas ni los chalés más enormes de las urbanizaciones de chalés con piscina. Por eso, y ya para mandarle a freír espárragos, le dije a Roberto:

—Pues si este barrio es una mierda, a ver cuándo te vas y te casas con una princesa y os mudáis a Montecarlo y nos dejas en paz.

Y me di media vuelta y me largué. Yo jugaba con una ventaja, que tengo el deber de contaros. Sabía que Roberto estaba perdidamente enamorado de mí, y que por eso hacía y decía muchas de sus animaladas y trataba siempre de mostrarse muy chulo conmigo. Pero no tenía la menor intención de hacerle caso y desde luego tampoco iba a ser blanda con él para no herir sus sentimientos. Aunque Roberto no sabía lo que decía, era un renegado miserable que insultaba al barrio y no cuidaba ni apreciaba lo que tenía, y sólo por eso no merecía tener nada y mucho menos que yo le hiciera caso.

Así que dejamos a Roberto allí delante del portal, anonadado y medio deshecho por mi marcha. Pero no debéis confundiros: tampoco yo, aunque me haya hecho pasar con Roberto por una perfecta mujer fatal, soy la protagonista de este libro. En realidad, mi vida no tiene mucho interés, por no decir casi ninguno. Hay quien nace para que no le pase nada demasiado importante, y cuando una nace para eso, como es el caso, más vale aceptarlo desde el principio y no empeñarse en que pase lo que no va a pasar. Con todo, yo no me quejo, porque dentro de lo que cabe hay algo que me hace afortunada, y es mi secreto y también es lo que me permite escribir libros a esta temprana edad de dieciséis años, que casi supone un récord digno de apuntarse en el Guinness. Normalmente no cuento a nadie mi secreto, que para eso lo es, pero a vosotros que tenéis mi libro entre las manos no puedo ocultároslo. Mi secreto es que, aunque a mí no me pasa nada, tengo una facilidad increíble para conocer a gente a quien sí le pasan cosas extraordinarias, y también para que esa gente me las cuente. Así, de una forma indirecta, consigo que todas esas cosas que a mí nunca van a pasarme vayan y me pasen un poco, aunque sólo sea en el terreno de las ilusiones, que es con lo que luego se hacen los libros. Si lo miráis bien, tiene su lado bueno, porque las cosas extraordinarias a veces son peligrosas, y mientras me las cuentan yo puedo sentir la emoción pero en el fondo no estoy en peligro, como quien las vivió realmente. Por otra parte, quienes viven las cosas extraordinarias las viven y ya está, para ellos son simplemente así, como las han vivido, porque las han visto y eran esto y no eran aquello y ya de ninguna manera van a ser distintas, pero yo, cuando me las cuentan y luego las escribo, puedo inventarlas indefinidamente, cerrar los ojos y verlas una vez de una manera y otra vez de otra. Y sé que lo que ponga en el libro, vosotros cerraréis los ojos y lo veréis unos así y otros asá, y no habrá dos imágenes iguales. Para terminar de contaros mi secreto, tengo que deciros que en realidad vosotros y yo, que podemos verlas de más de una manera, tenemos más suerte que quienes vivieron las cosas extraordinarias, porque ellos no pueden cerrar los ojos y que cada vez salga algo diferente. Por eso, y aunque parezca extraño, las cosas extraordinarias son más vuestras y mías que de nadie.

Estoy segura de que muchos ya lo habréis adivinado. La historia que cuenta este libro es la historia de las cosas extraordinarias que les habían sucedido a los polacos que un día vinieron a vivir a mi portal y a los que Mariano, el padre de Roberto, se creía tan superior. Para ser más exactos, es la historia de uno de ellos, y a él se la quiero dedicar. Sobre todo, por aquella mentira preciosa que todavía suena en mis oídos, como la música un poco lenta y tan armoniosa de sus palabras: «Algún día, cuando pueda llevarte a Varsovia»...

2

Lo que no sabíamos de Polonia

No sé vosotros, pero yo tengo que reconocer que antes de que vinieran los nuevos vecinos no sabía casi nada de Polonia. Por no saber, casi ni sabía con qué países limitaba. Sabía que estaba en Europa, claro, más o menos entre Rusia y Alemania, y que Alemania empezó la Segunda Guerra Mundial invadiéndola. Eso se da en Octavo (o se daba, antes de que inventasen la ESO, de la que yo me libré por poco), y en el libro venía una fotografía de los alemanes echando abajo la frontera. Mi profesor de Sociales nos contó además una anécdota muy impresionante. Resulta que, cuando los polacos ya habían perdido todas las posibilidades de resistir, una división de caballería que se llamaba Pomorska (porque una será ignorante, pero no se olvida así como así de lo que sí le enseñan) cargó a la desesperada contra los tanques alemanes. Murieron todos, desde luego, sin romper un solo tanque con sus espadas y sus lanzas. Desde que me lo contaron, cuando me acuerdo de la división Pomorska siento una especie de escalofrío, y me pregunto qué clase de cosa te tienen que meter en la cabeza para cargar a caballo contra una división acorazada, y en qué pensarían aquellos jinetes mientras el campo despejado se les acortaba y los tanques estaban cada vez más cerca. La verdad es que semejante episodio no daba para creer que los polacos fueran demasiado normales, aunque había algo que me los hacía simpáticos, quizá aquella manera de perder y avergonzar al vencedor.

Pero saber que Polonia está al lado de Alemania no es mucho. Ahora que han cambiado todas las fronteras y han hecho tantos países nuevos, resulta que las fronteras de Polonia son de lo más complicadas. Una tarde, cuando los nuevos vecinos llevaban sólo unos días en el portal, me cogí el atlas y averigüé que Polonia, para empezar, es bastante grande y tiene un montón de países nuevos y viejos alrededor. Además, ya casi no limita con Rusia, salvo por un trocito pequeño de costa que le han dejado encajonado a los rusos y donde está una ciudad que se llama Kaliningrado. Aparte de ese pedacito ruso, si cogéis también vosotros un atlas veréis que Polonia limita ahora con Lituania, Bielorrusia, Ucrania, Eslovaquia, la República Checa y al oeste, como siempre, Alemania. También veréis las ciudades más importantes, que tienen todas nombres más o menos fáciles en español y dificilísimos en polaco, aunque para ver eso tendréis que tener un atlas bilingüe, como el mío. En español se llaman: Danzig, Stettin, Breslau, Cracovia, Varsovia. Y en polaco: Gdańsk, Szczecin, Wrocław, Kraków, Warszawa. Otras se llaman sólo de una manera: Poznań, Katowice, Łódz, Lublin. Mientras leía aquellos nombres me picaba la curiosidad de saber de cuál de todos ellos vendrían los nuevos vecinos, y si era uno de los dificilísimos, cómo lo pronunciarían, ellos que lo harían como si tal cosa. Ante mis ojos aquellas palabras tenían un aire misterioso, porque eran sitios que estaban muy lejos de aquí y al lado de la estepa y del Mar Báltico, pero para la chica rubia tenían que ser la cosa más familiar del mundo, algo así como para nosotros Segovia o Ávila.

¿Qué más sabía de Polonia? Hice un repaso rápido. Sabía, claro, que el papa era polaco y que iba allí mucho y todos debían ser muy católicos, para haber dado un papa. De hecho tenían una virgen de color negro muy famosa que no sabía cómo se llamaba (ahora sí lo sé, y es un nombre polaco de los difíciles de veras, se llama la virgen de Częstochowa). También sabía que allí había nacido Chopin, que aunque todos digan su nombre en francés es un músico polaco que se da en Primero. Este Chopin compuso un concierto para piano y orquesta, que se llama *Concierto número 1* y que en el examen final hay que ser capaz de distinguirlo de la *Sinfonía pastoral* de Beethoven, la *Sinfonía fantástica* de Berlioz (éste no se dice en francés, aunque sí era francés) y los *Conciertos de Brandemburgo* de Bach (que se dice Baj, algo así como si fuera hindú). La verdad es que está tirado distinguirlo, sólo hay que estar atento al piano, aunque sacar nota es otra cosa, porque hay que adivinar el movimiento que te están poniendo y eso ya no es tan fácil.

Con Chopin, más o menos, se agotaba mi conocimiento de Polonia. De Chopin también sabía alguna anécdota, como que había estado en Mallorca un verano, enamorándose de una escritora que usaba un nombre de hombre, aunque sólo para que no se rieran de ella, porque en el siglo XIX costaba que se tomaran a una mujer escritora en serio. Todo lo contrario de nuestra época, donde hay escritoras millonarias (ojo, que ésa *no* es la razón por la que yo he decidido ser escritora) y no es nada raro que sea así, entre otras cosas porque son las mujeres las que leen y no los hombres, que son casi todos unos borregos y sólo andan pendientes del fútbol. Pero en fin, yendo a lo que iba, que no era esto de las mujeres escritoras y los hombres iletrados, sino Polonia, tampoco es que aquellos chismes fueran nada del otro mundo. Detalles como la aventura en Mallorca de Chopin o la carga de la división Pomorska podían ser útiles para lucirse en un momento dado, pero no remediaban mi espantosa y supina ignorancia en cuestiones polacas.

Entonces fue cuando me acordé de un libro que había leído hacía años, más o menos cuando tenía once o doce, y que me había producido un impacto tremendo. Ahí estaba lo último que yo sabía de Polonia, y me fui derecha a la estantería para recuperarlo. El libro se llamaba y se llama *Tarás Bulba*, lo escribió un tal Nikolái Gógol y su protagonista es un cosaco ucraniano que lucha contra los polacos allá por el siglo XVI. La historia tiene su parte de batallas y eso a mí no suele interesarme, salvo cuando se trata de una batalla tan romántica como la de la división Pomorska, que la verdad, tampoco es que se den muy a menudo en las guerras. Pero tiene otra parte, que aunque se mezcla con las batallas acaba por separarse y por quedarse en la memoria cuando las batallas se te olvidan.

Os contaré como mejor me salga esa parte. Tarás Bulba, el cosaco, tiene dos hijos que se llaman Ostap y Andréi. Cuando Ostap y Andréi son jóvenes, su padre les envía a estudiar a Kiev. Todavía no hay guerra con Polonia, y en la ciudad Andréi se enamora de una chica polaca, hija de un noble que está allí de paso. Cuando estalla la guerra, Ostap y Andréi se incorporan como cosacos al regimiento de su padre. Una noche, mientras el regimiento está sitiando una ciudad enemiga, una tártara se acerca a Andréi. Es la sirvienta de la chica polaca, que viene a decirle que ella está en la ciudad y le ha visto desde lejos. Andréi, guiado por la tártara, entra en la ciudad a ver a su amada. Apenas la encuentra, se olvida de todo, y para poder estar con ella acepta pasarse al enemigo y enfrentarse a los suyos. Le hacen oficial, y el noble polaco le regala su mejor caballo y un correaje de oro. Pocos días después, en mitad de una batalla, Tarás Bulba distingue entre las filas de la caballería polaca a su hijo Andréi, con su uniforme de oficial enemigo. Casi no puede creerlo, hasta que están frente a frente. El hijo baja la espada, que no puede levantar contra su padre, pero Tarás Bulba no se apiada y acaba con el hijo traidor. Tras esa batalla, a Ostap, el otro hijo de Tarás Bulba, que sigue siendo un cosaco leal, le apresan y le llevan a Varsovia. Allí, tras horribles suplicios, muere como un héroe. Tarás Bulba, destrozado por la traición de su hijo menor, Andréi, y la muerte de su hijo mayor, Ostap, se dedica entonces a guerrear como un loco suicida. Se niega a reconocer la paz que se firma con Polonia y sigue cabalgando con sus cosacos, sembrando el terror por dondequiera que pasa. Al final los polacos le hacen prisionero, le amarran a un árbol y le queman con un bosque. Y la leyenda dice que, en las noches de luna, quien pasa por aquel bosque todavía puede escuchar la voz de Tarás Bulba, ordenando a sus cosacos que sigan adelante, siempre adelante.

En la historia de Tarás Bulba, Polonia es la belleza de una chica y el amor que ella despierta en Andréi. Pero a la vez Polonia es también la traición y la maldad, porque por una polaca Andréi abandona a su padre, y cuando los polacos apresan a Ostap y a Tarás Bulba, que han peleado como leones, los matan cobardemente. A medida que voy conociendo más historias, ya sean las que leo, como vosotros leéis ahora estas páginas, o las que me cuentan, de las que saco el material para lo que escribo, tengo más y más la impresión de que las mejores de todas son precisamente aquellas en las que se dan a la vez cosas que se contradicen y que parece que nunca deberían ir juntas. Si Andréi, para salvar su amor por la chica, no tuviera necesidad de traicionar a los suyos, la historia de ese amor sería mucho menos emocionante. Y si Tarás Bulba no hubiera tenido un hijo héroe y otro traidor, a lo mejor no sería tan bonita la historia y no valdría tanto la tristeza que uno siente cuando al viejo cosaco le queman con su bosque.

Por eso cuando leí *Tarás Bulba* me llamó la atención Polonia, que era a la vez aquella chica tan dulce que enamora al joven cosaco y la trampa que acaba cruelmente con el pobre Tarás Bulba y sus hijos. *Tarás Bulba* es un libro, y es cierto que lo que se pone en los libros no siempre tiene demasiado que ver con la realidad, pero es raro que un libro bueno, y *Tarás Bulba* para mí lo es, no sea real de un modo o de otro. ¿Serían dulces o crueles nuestros polacos? No me extrañaba que fueran dulces, porque me acordaba de los ojos azules de la madre y de la hija, pero sí me extrañaba que fueran crueles y cobardes, sabiendo, por ejemplo, de aquella hazaña increíble de la división Pomorska.

Después de releer el libro, confieso que me moría de impaciencia. Tenía que enterarme de cómo eran de veras, y no sabía cómo me las iba a arreglar. Pero fue más fácil de lo que creía. Ahora es cuando ya me toca hablar de Andrés, que en polaco se escribe Andrzej y se dice más o menos Andréi, como el hijo de Tarás Bulba. Andrés no era un polaco falso, como el hijo del cosaco, sino verdadero, porque era el hijo de los nuevos vecinos y el hermano de la chica rubia. Él me dijo que de todas las ciudades del mapa la suya era Varsovia, que como ya sabéis en polaco se escribe Warszawa, y muchas otras cosas. Pero antes de nada, y para ir por orden, tengo que contaros cómo nos conocimos.

3

Otra vez Roberto

Todavía no he dicho, aunque debería, que cuando vinieron los nuevos vecinos era más o menos noviembre. Eso significaba que ya había empezado de lleno el instituto, y que además los días eran más bien grises y hacía algo de frío. En el mes de noviembre me acuerdo siempre de cuando era más pequeña, por ejemplo de cuando iba a los primeros cursos del colegio, y me acuerdo sobre todo de las tardes en casa, haciendo los deberes todavía con gusto, porque en noviembre los libros y los cuadernos y los lápices estaban todavía nuevos, no como en abril, que ya te habías aburrido de los libros y habías gastado los cuadernos y todos los lápices estaban cortos o mordidos. En aquellas tardes de noviembre la casa era un sitio acogedor, y yo juraría que mi padre estaba siempre tranquilo y mi madre tenía con nosotros toda la paciencia del mundo. Por eso habría querido que aquellas tardes durasen por los siglos de los siglos, como la novedad de los libros y la mina de los lápices. Pero cuando una ya tiene dieciséis años debe ser fuerte para aceptar que la infancia pasa, y que por la tarde papá viene muchos días con un humor de perros y mamá no siempre se toma a bien las ocurrencias del hámster, que aunque ya tiene ocho años no acaba de quitarse la costumbre de dibujar en los muebles clavando en la madera la punta del bolígrafo.

Ese noviembre, que era un poco frío y no tan acogedor como los de mis recuerdos, yo iba al instituto por primera vez. Nos habían asustado todo lo que habían podido. Que si había que saber hacer ecuaciones como churros, que si a todo el mundo le cateaban en Dibujo Lineal, que si agárrate con las Ciencias Naturales, que te obligan a saberte todas las partes de un molusco y tienes que aprender a dibujar el cangrejo cacerola, que es algo que ya ni siquiera existe. Los profesores del instituto eran más jóvenes y más distraídos que los del colegio, o eso me parecía a mí, pero por lo demás, y una vez que se pasaron los primeros sustos (como el día en que nadie se sabía la escala de dureza de Mohs y cayó un cero colectivo), la cosa no era tan terrible, salvo por el maldito Dibujo, que ahí sí que eran verdad las amenazas y tenías que estar liada con las reglas y los compases todo el santo día y luego rezar para que no se te fuera un borrón de tinta y hubiera que repetirlo todo.

Al instituto iba con mis mejores amigas del colegio, Irene y Silvia. Irene siempre ha sido la más lista de todas las clases en las que yo he estado, y cuando alguna vez alguien cree que puede destronarla, se pica y se pone a sacar diez en todo hasta que el otro o la otra se da cuenta de que no hay nada que hacer y entonces Irene se relaja y vuelve a sacar sólo nueve o nueve y medio. Pero lo más grande de todo es que es la primera también en gimnasia, el consuelo de los zoquetes, que ni siquiera eso tienen con ella, porque con cinco años ya hacía gimnasia deportiva y sabe dar volteretas sin tocar el suelo. Casi toda la gente la odia por sus habilidades, pero ser amiga suya no te cuesta nada porque nunca te parece que se crea más que tú, aunque lo sea, sino que no tiene más remedio que ser así de lista y se resigna a vivir con ello, sin que sacar las mejores notas la haga especialmente feliz. En realidad, ella habría querido ser gimnasta de competición y sabe que no podrá serlo desde los ocho años, cuando se cayó de la barra y se partió la muñeca derecha.

Silvia, mi otra amiga, no es tan lista como Irene, más bien suele aprobar raspando, aunque raspa que te raspa todavía no le ha quedado nunca nada para septiembre. Silvia también es extraordinaria, aunque por otras razones (ya os he dicho que yo tengo facilidad para tropezarme con gente extraordinaria). Cuando tenía dos o tres años la cogieron para hacer un anuncio de papel higiénico, todo el mundo se ríe de eso, pero el caso es que después de aquel anuncio, que era en realidad muy artístico y se llevó no sé cuántos premios internacionales, ya ha hecho catorce o quince, y todos estamos convencidos de que tarde o temprano será famosa y saldrá en las revistas, aunque a ella le da una vergüenza horrorosa que la gente la reconozca por ahí y le diga: «Mira, si es la del chocolate blanco». Yo quiero mucho a Silvia y es amiga mía porque igual que Irene, aunque va a tener en la vida todo el éxito que se proponga tener, nunca presume y sabe sufrir si hace falta. La verdad es que no siempre es todo tan fantástico para ella. A veces, por ejemplo, está deprimida y no le apetece rodar el anuncio de las narices, y sin embargo tiene que irse allí y dejar que la arreglen y estar siete horas sonriendo para que luego veamos en la tele veinticinco segundos. Cuando lo pienso, me parece que después de todo más vale ir con gente que no siempre puede hacer lo que quiere y que sabe jorobarse cuando hay que jorobarse, como Silvia. La gente que siempre puede hacer lo que quiere, acaba por volverse insoportable.

Ésas eran y son mis mejores amigas, y ya os podréis imaginar que yo, que saco como mucho algún notable y no creo que ruede nunca los anuncios que rueda Silvia, porque para rodar esos anuncios hay que tener por ejemplo los ojos verdes y el 1,75 de ella, y mis ojos son de ese marrón que tiene todo el mundo y para llegar a 1,75 tendría que ponerme unos zapatos de plataforma que vinieran con paracaídas, pues bien, ya os podréis imaginar que yo, iba diciendo, me veo obligada todo el tiempo a echar mano de una gran reserva de humildad para ir por ahí con esas dos amigas fuera de serie. Suerte que hace muchos años que sé que soy y seré siempre una chica del montón (salvo que algún día suene la flauta con esto de escribir), y que he aprendido a disfrutar de no ser extraordinaria y tener ocasión de conocer a quien sí lo es. Gracias a eso, cuando leen las notas o las ponen en el tablón y mi amiga Irene hace morder el polvo a todos los empollones con gafas, o cuando echan un anuncio de Silvia, yo siento la alegría de conocerlas como nadie, y de que si alguna vez las cosas no les van tan bien, yo soy su amiga y podrán confiar y confiarán en mí.

Os he contado todo esto de Irene y de Silvia porque saldrán alguna que otra vez más en la historia y así ya sabéis quiénes son, y también porque aquel mediodía de noviembre, cuando volvíamos del instituto, eran ellas dos quienes venían conmigo. Íbamos tan tranquilas por la avenida de España, que es una avenida muy grande que hay en Getafe (grande para Getafe, aunque no sea como los Campos Elíseos), cuando de pronto nos salió al paso quien dice el título de este capítulo. Si no os acordáis, seguro que podéis adivinarlo, a nada que recordéis que tiene el don de la inoportunidad. Efectivamente, el mismo, el renegado, el racista, el cafre: Roberto. Siempre iba con otros dos como él, porque salvo yo, que he podido juntarme con gente mejor que yo, casi todo el mundo tiene más o menos los amigos que se merece. Ellos también iban al instituto y a Primero, aunque a otra clase, porque ellos daban francés y nosotras inglés. Irene siempre decía que aquello de que Roberto y sus amigos dieran francés era para morirse de risa. La verdad es que era difícil imaginarse a aquellos borricos poniendo los morritos para decir *silvuplé*.

—Vaya, las tres mosqueteras —dijo Roberto, que era algo así como el jefe.

—¿Mosqueteras o mosquiteras? —preguntó Raúl, uno de los que iban con él.

—Mejor mosquitas —rectificó Roberto, sobre la marcha—. Las tres mosquitas muertas —y los tres se echaron a reír a carcajadas, como si aquello fuera graciosísimo.

Desde que le había mandado a la mierda delante de nuestro portal, después de aquella conversación tan edificante sobre los nuevos vecinos, no había vuelto a cruzarme con Roberto. Como le conocía hasta vuelto del revés, me daba cuenta de que aquella escenita era más o menos su venganza por mi desplante, y de que se venía con los dos amigotes y me pillaba a mí con mis dos amigas para no estar solo conmigo cara a cara. Si hubiéramos estado los dos solos, se habría ahogado en su propia saliva y no habría sido tan machito. Así que decidí no darle mayor importancia y le pregunté a Irene, sin mirarles:

—¿Has oído tú algo?

—No. Sólo unas moscas.

—Pero unas moscas gordas —dije yo.

—Sí —dijo Silvia—. Los tres moscones.

De eso no se rieron, pero cuando intentamos sortearles dieron un salto para atrás y volvieron a cerrarnos el paso. Después de esa hábil maniobra, Roberto sonrió otra vez y le dijo a Silvia (conmigo no se habría atrevido a meterse):

—Seguro que también hay moscones en el estudio, cuando grabas los anuncios, pero entonces te quedas quieta, ¿eh, Claudia Schiffer?

Silvia es mucho más guapa que Claudia Schiffer, adónde va a parar, porque no tiene esos ojos diminutos ni esos mofletes de angelote bobalicón. Pero todos los idiotas del instituto, después de que a uno se le ocurriera la gracia, la llaman Claudia Schiffer, que a ella la revienta, y es para comprenderla.

—A ti lo que yo haga en el estudio no te importa, Torrebruno.

Ése era un golpe maestro por parte de Silvia. Le había dado a Roberto donde más le dolía, y es que un día nos habíamos fijado en las zapatillas de deporte tan raras que llevaba, que eran como unas botas, y pensando pensando descubrimos que llevaba esas zapatillas espantosas para poder meter las alzas, pero aun con todo y con eso no le llegaba a Silvia por encima de la nariz, o menos si Silvia se ponía tacón. Roberto, también era de prever, no encajó muy bien la respuesta de Silvia, y por un momento me pareció que hasta iba a ser capaz de arremeter contra ella, el muy canalla, porque se vio que le costaba contenerse. Así que fui y me puse en medio, y le obligué a verse la cara conmigo:

—¿Qué te pasa, Roberto, que te aburres? —le pregunté, con la voz más suave que soy capaz de poner—. Si es eso, tengo una sugerencia para ti: cómprate un mono. Y si es que estáis intentando ligar, te aconsejo que te vayas con estos dos armarios a una guardería, que allí puede que haya alguien de vuestra edad mental, aunque no te lo aseguro. Ya sabes que los bebés de ahora aprenden muy deprisa.

Eso fue una imprudencia, porque Arturo, uno de los dos armarios, que por cierto que lo era, no estaba enamorado de mí y tampoco debía saber que Roberto lo estaba, ni que una de las cosas más inmundas que puede hacer un chico de setenta y cinco kilos es agredir a una chica de cuarenta y cuatro.

—Mira tú la mierda esta —rebuznó, y se vino hacia mí y ya me iba a dar con su manaza cuando, de repente, algo se la paró. Todo ocurrió en una décima de segundo, pero tuve tiempo de fijarme en lo que había frenado a Arturo. Era una mano pálida y delgada que se había aferrado a su muñeca, y después de la mano venía un brazo también largo, aunque no podía saberse si pálido porque lo tapaba un jersey, y detrás del brazo un chico flaco y rubio que tenía unos ojos azules que yo había visto en alguna parte. En seguida me acordé de dónde: en la cara de mis vecinas polacas. El chico flaco se interpuso entre Arturo y yo y dijo, con un acento extranjero bastante bien disimulado:

—Eso no se hace, señor.

Arturo puso cara como de haberse encontrado un marciano buceando en la sopa. Debía ser la primera vez que alguien lo consideraba digno de llamarle *señor*, y todavía no debía explicarse cómo aquel enclenque estaba tan loco como para plantarle cara.

—No os quedéis aquí —nos pidió el chico rubio, apartándome con delicadeza.

Di un paso atrás, instintivamente, aunque me temía que de un momento a otro iba a haber una catástrofe y que la catástrofe era por mi culpa y no podía dejar que aquel chico se la comiera solo. Pensaba a toda prisa, y sólo se me ocurrió una salida:

—Llévatelos, Roberto. Ya está bien la broma.

Roberto era inofensivo, y si los otros dos hubieran sido como él o le hubieran imitado no habría habido el menor peligro. Pero Roberto sólo era el jefe en tiempos de paz, y aquélla era una situación bélica. De hecho, Roberto estaba tres o cuatro pasos por detrás de los otros, atontado perdido. Arturo y Raúl, los dos armarios, se habían olvidado de él y se habían colocado hombro con hombro, preparándose para atacar.

—¡Que te los lleves! —chillé.

Pero no se pudo evitar, aunque no porque los dos armarios se echaran encima del chico rubio y flaco, sino porque fue él, igual que los jinetes de la división Pomorska contra los tanques alemanes, quien se abalanzó contra ellos. La embestida cogió a Arturo y a Raúl de sorpresa. Raúl cayó al suelo y Arturo estuvo a punto. El chico rubio y flaco se concentró entonces en Arturo, y aunque el otro era mucho más grande, lo empujó contra una pared y consiguió también tirarlo al suelo. Entonces lo soltó y volvió hacia donde estábamos nosotras, sacudiéndose y colocándose la ropa. Jadeaba un poco y, sonriendo, nos insistió:

—Os he dicho que os vayáis.

Arturo y Raúl estaban desconcertados. Se levantaron como pudieron y volvieron a acercarse, pero se veía que no sabían qué iban a hacer para darle estopa a aquel delgaducho que los había derribado a los dos a las primeras de cambio. No había más que mirar cómo se movían ellos y cómo se movía él para comprender que el otro era mucho más ágil y habilidoso. A Roberto, mientras tanto, le temblaban las piernas.

—Escuchad —dijo el chico rubio—. Eso sólo ha sido una demostración. Si queréis, seguimos, pero os advierto que a lo mejor os hago daño. No tenéis ni idea.

Arturo y Raúl se miraron. Aquello era una humillación en toda regla. Uno solo contra dos, y delante de tres chicas, que eso es algo que a los chicos les fastidia como ninguna otra cosa. También podrían haber pensado que era mejor no seguir sin razón, pero ese tipo de pensamientos prácticos es lo último que tiene un chico cuando el cerebro se le llena de eso de lo que a veces se les llena el cerebro a los chicos. Así que Arturo, que era el más rabioso de los dos, se tiró contra el chico rubio. El chico rubio le esperó, sin dejar de sonreír, y cuando Arturo estuvo a su altura, dio una especie de paso de baile, se agachó y le clavó el codo en las costillas. Dolía sólo de verlo, y Arturo, que se llevó el codazo puesto, cayó rodando y aullando como un perro herido.

—Avisé —dijo el chico rubio, encogiéndose de hombros.

Arturo y Raúl eran bastante burros, pero no tanto como para seguir haciendo el ridículo delante de nosotras. El que estaba más entero recogió al lesionado y se lo llevó a donde estaba Roberto, que creyó llegado el momento de decir algo y dijo, con un hilillo de voz:

—Vámonos, ya le pillaremos.

—A ti quiero avisarte también —respondió el chico rubio—. Si hay una próxima vez, tú vas a salir peor que ellos. Así que mejor les quitas la idea, por la cuenta que te trae.

Volvió a colocarse la ropa y recogió del suelo, donde la había dejado antes de intervenir, la mochila que llevaba.

—¿Todavía seguís ahí? —nos regañó—. No era nada que valiera la pena ver.

—Lo que ellos hacían, desde luego que no —reconoció Silvia, alucinada, y el resto, aunque no dijimos nada, también lo estábamos.

—Ni lo que hacía yo. No tiene ningún mérito. Ellos no han aprendido y yo sí.

Lo decía de veras, no era falsa modestia. Lo decía como si en realidad le hubiera disgustado haber tenido que clavarle el codo en las costillas a Arturo y hacer que Roberto se cagara en los pantalones, y como si el hecho de saber dar aquellos golpes casi mortales no le hiciera mejor, sino peor que ellos.

—Tú eres uno de los polacos que viven en mi portal, ¿no?

Apenas hube pronunciado aquellas palabras, que me salieron sin poder aguantarlas, me di cuenta de que quizá llamarles así, *los polacos*, no era demasiado correcto, porque podía tomarme por una especie de racista como Roberto o como su padre. Pero él no se molestó ni lo más mínimo. Sin que se le cayera aquella sonrisa que parecía que llevaba pegada a la cara con pegamento ultrarrápido y ultrarresistente, contestó:

—Sí, soy polaco y vivo en tu portal.

Apenas podía asimilar las ideas que se amontonaban en mi cabeza. Había dicho *vivo en tu portal*, y eso significaba que me conocía, aunque era la primera vez que yo le veía a él.

—Pues tenemos que darte las gracias —dije, a duras penas, porque de pronto el corazón me iba a trescientos mil por hora, que es algo que me pasa en los momentos más inoportunos y que me pone enferma, pero no lo puedo evitar—. Yo me llamo Laura.

—Y yo Irene —dijo Irene.

—Y yo Silvia —dijo Silvia.

El chico rubio nos miró a las tres, una después de la otra, para acordarse.

—Encantado. No ha sido nada. Yo me llamo Andrzej. Andrés. Perdonadme, pero llego tarde. Hasta luego.

Después de que él se fuera, tan sigiloso como había aparecido, tuve que contarles a Silvia y a Irene todo lo que sabía de los polacos de mi bloque, que la verdad es que no era mucho, y todo lo que había conseguido averiguar acerca de Polonia en general, que, como ya sabéis vosotros, tampoco daba demasiado de sí. Al principio me escuchaban y después, cuando llegué a lo de Tarás Bulba, me pareció que dejaban poco a poco de escucharme. La historia del cosaco era magnífica, y seguro que si hubieran podido prestar atención habrían estado de acuerdo en eso conmigo. Pero ellas seguían encandiladas por la forma en que el chico rubio había dicho en su idioma aquel nombre, Andrzej, y después en español, Andrés. Las palabras, incluso aquel último y simple *hasta luego*, sonaban en su voz diferentes de como sonaban en todas las voces que conocíamos. Te acariciaban el oído y te llevaban a un sitio donde nunca habías estado antes.

Así fue como conocí a Andrés y su forma de amaestrar y encantar las palabras, las polacas y también las de nuestro idioma, que no era el suyo y lo hablaba de prestado. El incidente con Roberto, por otra parte, tuvo una secuela, que me permitió conocer al último miembro de la familia. Al día siguiente, por la tarde, estaba escuchando música en mi cuarto cuando de pronto entró el hámster gritando como un demente:

—¡Una pelea, una pelea!

—¿Una pelea? ¿Dónde?

—En la escalera. Con los *polonios*.

Al hámster le gusta decir mal aposta algunas palabras, para hacernos rabiar a quienes tenemos la obligación de corregirle y conseguir que hable como Dios manda. Pero aquélla la entendí a la primera y no perdí el tiempo en corregirla. Cuando llegué a la puerta, mi padre estaba allí y me cortó el paso.

—No es nada. Ve dentro.

Creía que me engañaba, pero era verdad que ya no se oía nada. Antes de que mi padre cerrase, acerté a ver a un hombre alto y serio con bigote rojizo, que subía por la escalera. Luego, con cotilleos recogidos aquí y allá, pude reconstruir aproximadamente los hechos. El hombre del bigote rojizo, que era el padre de la familia polaca, había bajado a hablar con Mariano, el padre de Roberto. Se había enterado de que su hijo se había peleado con Roberto, y quería pedirle disculpas. Entonces Mariano, sin dejarle pasar, empezó a gritarle un montón de bestialidades de las suyas, que más vale no copiar aquí. Organizó tal alboroto que salieron muchos vecinos, por si había que separarlos. Pero el polaco le dejó gritar, y cuando Mariano se quedó sin palabrotas, le dijo sin inmutarse:

—Ya me he disculpado. Ahora, si vuelve a decir alguna de esas cosas, se va a arrepentir de verdad de haber nacido.

Y se dio media vuelta y se fue, y justo entonces se hizo el silencio que yo oí cuando salí a la escalera a ver qué era lo que pasaba. Porque Mariano, aunque era un bocazas, no supo qué replicar a la última frase del polaco. Aquel hombre del bigote rojizo, según aseguraban los testigos, no parecía que hablase de más. Como su hijo, sabía llenar las palabras.

4

La montaña de arena

Después de la escaramuza del chico polaco con Roberto y los suyos, o más bien *sólo con los suyos*, me puse a esperar con bastante impaciencia a que se presentara la ocasión de volver a verle (al chico polaco, no a Roberto, que a éste estaba segura de que habría más ocasiones de volver a verle de las que me apetecía tener, es lo que llaman la ley de Murphy). La principal razón de la impaciencia no era que me impresionara que les hubiera zurrado de aquella forma a Arturo y a Raúl, aunque me impresionaba, ni tampoco que me hubiera enamorado locamente o algo así, como deducirá algún malpensado. Bien mirado, Andrés no era ni mucho menos tan guapo como su madre o su hermana. Tenía, sí, sus mismos ojos azules, pero aparte de ese detalle, su cara resultaba bastante normal, era uno de esos rubios descoloridos y estaba demasiado flaco para mi gusto. Lo que de verdad me impacientaba era poder averiguarlo todo: de dónde venía, quién le había enseñado a pelear así, cómo había aprendido a hablar el español, y el resto de las cosas que formaban parte del misterio que encerraban él y su familia. No niego que también tenía ganas de volver a escuchar su voz y quizá de que aquellos ojos celestes me mirasen y poder mirarlos. Pero mis razones eran fundamentalmente técnicas, que es como se llama a las razones que la protegen a una de cualquier suspicacia. Por encima de todo estaba la investigación.

Desde que estaba metida en aquella misión de conocer lo mejor posible a mis vecinos polacos, volvía a tener una sensación que he tenido otras veces. La misma sensación que tengo cuando abro un libro viejo, de esos que están olvidados en la librería, y lo leo y resulta que es una historia estupenda como *Tarás Bulba*. La misma que cuando me asomo alguna noche de invierno a la ventana, antes de acostarme, y me quedo mirando lo bonita que está la calle iluminada que nadie mira. El mundo está lleno de cosas abandonadas, a las que nadie hace caso, y que cuando encuentran quien se ocupa de ellas se abren como un cofre del tesoro, y aunque parecía que no tenían nada que ofrecer, va y se descubre que son lo mejor con diferencia. Y al revés, hay muchas cosas que todos persiguen, que resplandecen mucho y salen en todas partes, y que las más de las veces, cuando las abres, están tan huecas que te dan ganas de partirlas en la cabeza de quien te las ha vendido, o mejor en tu propia cabeza, por haber sido tan tonta de comprarlas. Nadie en el bloque pensaba en los polacos como no fuera para tratar de esquivarles, pero yo estaba segura de que precisamente por eso, porque todos preferían mirar para otro lado, allí tenía algo de lo que merecía la pena ocuparme, y además lo tenía para mí sola. Eso es tal vez lo mejor de los tesoros abandonados, y lo que hace que la sensación que te da descubrir sus secretos sea una especie de privilegio, pero no como el resto de los privilegios que hay en el mundo, que siempre son a costa de hacerle la puñeta a alguien, sino diferente, un privilegio que cualquiera puede tener y que a nadie le hace ninguna injusticia. Todos podrían haber intentado ser amigos de los polacos, y todos podrían haber visto abrirse el cofre delante de sus ojos.

El caso es que los días siguientes, cuando entraba o salía del portal, cuando iba por el barrio, hasta cuando iba por otra parte, estuve todo el rato atenta por si veía a Andrés. Como ya nos habíamos presentado, podía hablar con él con toda naturalidad, sin que sospechase de aquella vecina que le demostraba tanta atención. Incluso probé a quedarme sentada una hora en el banco delante del portal, para que hubiera más probabilidades de que él apareciera estando yo allí. Probé a las seis, a las siete, a las ocho. Más tarde hacía tanto frío que si él hubiera venido habría pensado que estaba loca, y eso tampoco me convenía especialmente. Pero Andrés no apareció. Me preguntaba adónde iría todos los días y qué llevaba en la mochila que había dejado en el suelo para pelearse con los secuaces de Roberto. ¿Serían libros? ¿Iba a estudiar a alguna parte o trabajaba ya? Aunque era difícil saber cuántos años tenía, no me parecía que tuviera más de dieciséis o diecisiete, y eso quería decir que todavía estaba en edad de estudiar pero también que ya podía estar trabajando. A fin de cuentas los inmigrantes vienen para trabajar, porque es por eso por lo que les pagan, y no era de extrañar que toda la familia tuviera que arremangarse. Como decía Roberto, los trabajos que hacen los inmigrantes siempre son malos y el sueldo no les llega.

En ésas andaba, ya un poco desesperada porque a aquel chico y a toda su familia parecía que se los había tragado la tierra, cuando una tarde que veníamos de la compra entré en el portal con mi madre y el hámster y allí estaba, esperando el ascensor, la hermana de Andrés, el hada de los ojos azules que tenía trastornado a mi hermano. No sé quién de los dos, si el hámster o yo, se llevó el susto más gordo al verla. Pero yo me sobrepuse en seguida y me decidí a aprovechar la oportunidad. Justo cuando entramos en el portal acababa de llegar el ascensor, y la hermana de Andrés, que nos había visto, se metió en él y sujetó la puerta para esperarnos. Yo me di prisa y también se la dio mi madre. El hámster sufría un momentáneo cortocircuito cerebral y se quedó un poco rezagado, porque sus piernas no recibían las órdenes necesarias, o más bien no recibían ninguna orden. Mi madre le llamó:

—Vamos, Adolfo, que no van a estar esperándote toda la tarde —y mirando a la chica polaca, le dijo a ella—: Muchas gracias, venimos todos cargados.

—¿Al quinto? —preguntó la chica.

—Sí, el quinto —contesté yo. Ella sabía dónde vivíamos. ¿Habría hablado con su hermano? Tenía sólo cinco pisos por delante, así que no perdí el tiempo y le pregunté, casi a quemarropa—: ¿Cómo está Andrés?

La chica me miró con un poco de desconfianza, pero después sonrió y los ojos se le llenaron de luz. En otra vida, aunque en general no me queje y procure conformarme con mi suerte, me gustaría tener unos ojos azules que se llenen así de luz, porque con unos ojos como ésos es más fácil que la gente congenie contigo.

—Está bien —dijo. Tenía muchísimo más acento extranjero que su hermano.

—Yo me llamo Laura. Tu hermano me defendió, el otro día.

—Ya vale, Laura, no agobies a la gente —intervino mi madre, forzando una risita. Yo creo que mi madre es una gran mujer y además la quiero mucho, pero cuando fuerza la risita hay que admitir que se pone totalmente en evidencia.

—No se preocupe —le echó un cable la chica. Cuando se le abría del todo la sonrisa era como un ángel, y temí oír de un momento a otro el ruido del cráneo del hámster dando contra el suelo del ascensor. Por si acaso, procuraba no mirar hacia las regiones de abajo, donde él vive. La chica añadió—: Me alegro de conocerte. Yo me llamo Wisława.

Ahora sé escribirlo, incluso con esa letra polaca tan exótica, pero no vayáis a creer que cuando lo oí por primera vez me enteré de nada. Me sonó perfectamente a chino.

—¿Visiqué?

—Wisława. Es un nombre muy difícil para ustedes. Se puede decir sólo *Vislava*, que lo pueden pronunciar más fácil.

—Ajá. Vislava —probé, renunciando a imitar esas eses extrañas que decía ella. Incluso las decía un poco, aunque más suaves, al hablar en español.

Ahí fue donde se paró el ascensor, y mi madre trató de mover el pelotón familiar hacia afuera, con todas las bolsas del hipermercado enredándosele en las pantorrillas. Wisława volvió a sujetarnos la puerta.

—Muchas gracias. Encantada —dijo mi madre.

—Igualmente —dijo Wisława.

—Dale recuerdos a Andrés —dije yo.

El hámster no dijo nada, y Wisława asintió con la cabeza. Después de eso la puerta se cerró y el ascensor siguió hacia el sexto. Esperé a que mi madre me regañase, pero no lo hizo. A veces creemos que nuestros padres no son tan listos como en realidad son.

Mi madre abrió la puerta con una sonrisa que ya no era forzada y después, mientras guardábamos las bolsas, no mencionó el asunto, ni siquiera cuando yo le dije al hámster, para consolarle:

—No te preocupes, Adolfo. Cuando tú estuvieras en tu mejor momento, ella ya iba a ser una vieja decrépita.

—¿Cuántos años debe tener? —preguntó, todo ingenuo.

—Lo menos veinte —aposté.

—¿Y cuántos años le puede sacar la mujer al marido?

Al hámster a veces se le ocurren ese tipo de cosas, y va y las dispara así, como le vienen, porque no tiene vergüenza de casi nada. Yo creo que cuando crezca va a ser uno de esos que consiguen por la cara todo lo que quieren, mientras los demás andan pensándose cada paso que dan. Y además se las arreglará siempre para caer simpático. Porque eso es algo que hay que reconocerle al hámster, que a simpático no le gana nadie.

—No hay una regla fija —dijo mi madre—. Cada uno puede hacer lo que le parezca. Lo que importa para casarse es estar seguro de que se va a querer al otro todo el tiempo que haga falta. Y que el otro te quiera igual.

—¿Y tendría que *volverme polonio*? Bueno, me da lo mismo.

Así es el hámster, se crece ante las dificultades. Y yo también lo procuro, pero cinco días después, aunque llegué a quedarme en el banco del portal hasta las nueve y media, o sea, hasta que la nariz se me ponía azul, seguía sin encontrarme con Andrés. Ya me tenía intrigada qué era lo que hacía para andarse con esos horarios. Me acordaba de cómo le había hundido las costillas al amigo de Roberto y empezaba a temer, pareciéndome a Roberto y a su padre, que fuera algo turbio, como traficante de drogas o matón a sueldo. Así podía haber seguido, hasta llegar a pensar quién sabe qué cosas, si no hubiera sido, paradójicamente, porque desde hacía algún tiempo me había resignado a bajar la basura todas las noches, dando por perdida la cotidiana polémica que aquella tarea provocaba en mi casa. Mi madre ya tenía bastante con hacer la cena y recoger los platos, y mi padre, que es uno de esos padres que sólo ayudan en las tareas de casa que les divierten, siempre andaba a esas horas arreglando enchufes, desarmando la batidora o haciendo cualquier otra cosa por el estilo. Yo le echaba una mano a mi madre con la cocina, y por eso me atrevía a proponer que la basura le tocaba al hámster, que no hace casi nada y aún con ocho años sigue negándose a ir por el pan si no le mandan con el precio exacto, porque se arma un follón con las vueltas. El hámster se retiraba hacia el salón y decía:

—Los niños pequeños no pueden salir a la calle de noche.

Yo le decía que era pequeño para lo que le daba la gana, pero mi madre acababa apoyándole y después de tener que bajar fastidiada durante meses comprendí que más me valía aguantarme y acepté que la basura era cosa mía. Mira por dónde, aquella resignación iba a servirme para algo. Para desencadenar una catástrofe.

La basura la bajaba a las diez, a veces más tarde. Aquella noche, en particular, la bajé a las diez y media. Cuando volvía de los contenedores, vi una figura que venía por la acera, y le reconocí en seguida. Llevaba sólo una chaqueta de lana y una bufanda, poquísimo para aquella noche de diciembre en la que ya casi estaba helando. Traía las manos metidas en los bolsillos y la mochila colgada a la espalda. Eso fue todo lo que me dio tiempo a ver antes de que el maldito corazón se me pusiera a trescientos cincuenta mil por hora, porque allí, después de semanas de esperarle muerta de frío, tenía a Andrés. De tanto esperar, quizá había acabado por querer verle más de la cuenta.

Yo llegué antes al portal y por tanto me tocó esperarle un poco más todavía, sujetando la puerta y tratando de evitar que el corazón se me saliera por la boca. Cuando llegó él, traía los ojos cansados y su sempiterna sonrisa.

—Hola —dijo—. Gracias por esperarme.

Yo pensé que él no sabía cuánto le había esperado en realidad, y luego que quizá si lo supiera, porque su hermana le había dado recuerdos míos o porque notaba que yo estaba tan nerviosa que apenas podía responderle, como una estúpida:

—Bueno, no es nada.

Entré delante y por un momento le di la espalda. Me percaté de que sólo tenía ese momento, en el que iba hacia el ascensor y Andrés venía detrás, para reorganizar mis fuerzas y no dar aquella impresión tan lastimosa. Aunque el corazón me seguía yendo a trescientos cincuenta mil, me paré antes de llegar al ascensor y me volví hacia él.

—Sí que vienes tarde —dije.

Aquello era una impertinencia, él iba a creer que yo era una cotilla, y el caso es que era muy posible que lo fuera. A la porra con todo, pensé.

—Sólo puedo ir al instituto por la noche —se defendió, con toda la amabilidad del mundo—. De día trabajo.

—¿Trabajas? —cuando me oí decir aquello, no sé cómo no me caí de la vergüenza. Pues claro, niña, a mí no me lo dan todo hecho mis papás, debía haberme contestado, pero en vez de eso volvió a explicarse:

—Sí, en un almacén. Cierran a las ocho, así que me pierdo algunas clases, pero hago un esfuerzo. ¿No llamas el ascensor?

Me puse todo lo colorada que soy capaz de ponerme, que es bastante. Estaba al lado de los botones del ascensor, de tal manera que él no podía llamarlo, salvo que me apartara.

—Sí, claro —y apreté el botón.

El ascensor tardó doce siglos en bajar. No se me ocurría qué decir sin meter la pata hasta el fondo. Por suerte, fue Andrés el que habló:

—Y tú, ¿de dónde vienes?

En ese momento, quise que se me tragara la tierra. Me miré los pies y vi que llevaba las pantuflas. Eso significaba que no podía inventarme ninguna mentira, que es lo que suelo hacer en ciertas ocasiones en las que me da que la verdad va a desmerecer un poco y una mentira no le va a hacer daño a nadie. Así que tuve que confesar, con un bochorno que tampoco era lógico, porque alguien tenía que hacer aquello, en todas las casas:

—De tirar la basura.

—Ah —dijo. De pronto, yo sentía como si una tonelada de arena me hubiera enterrado de golpe y encima siguieran cayendo más toneladas de arena, una detrás de la otra y cada una tapando a su vez a la anterior, hasta que yo sólo fuera un microbio perdido bajo una montaña infinita de arena que crecía y crecía sin parar.

Así estaba, bajo la montaña de arena, cuando vino el ascensor. Andrés abrió la puerta y me invitó a que pasara yo primero. Más que caballerosidad, debía de ser pena o algo así. Entré y pegué la espalda a una de las paredes. Andrés entró después y sin decir nada apretó el botón del quinto, o sea, de mi piso.

—Gracias —musité, tratando de convencerme de que, después de todo, aquello era una buena señal, porque se acordaba del piso en el que yo vivía, que por cierto yo nunca se lo había dicho, y eso sugería que podía quedarme alguna esperanza.

—De nada. ¿Volvieron a molestaros aquellos patosos? —preguntó, todo simpático.

—Qué va —respondí, casi sin saber lo que decía—. No vayas a creer, Roberto es incapaz de hacerle daño a una mosca.

—Me alegro.

Me fijé en cómo los había llamado, *patosos*. Ése es el tipo de palabras que un extranjero tarda siglos en aprender. Por ejemplo, yo llevo cinco años estudiando inglés y si me preguntan no tendría ni la más remota idea de cómo dicen los ingleses *patoso*. Aunque el ascensor ya estaba llegando a mi piso, aquélla era la ocasión y me tiré a la piscina:

—Hablas muy bien el español. ¿Llevas mucho tiempo aquí?

El ascensor se paró y me pareció que nunca se había parado más de golpe. Yo no hice por salir, y Andrés tampoco empujó la puerta. Se quedó pensando un momento, como si tardase en decidir si podía darme la información.

—En Getafe no —dijo—. Antes vivía en Leganés. Vinimos a España hace un año.

—¿Y en un año has aprendido a hablar así?

Otro silencio para decidirse, y cada silencio hacía que me sintiera más y más fisgona. Pero también a eso contestó:

—No, ya sabía de antes. Me enseñó un marinero de Cádiz.

Era una revelación asombrosa, pero si una se fija-
ba, era verdad que a veces sonaba un poco como si
fuera andaluz. Sin ir más lejos, había dicho *Cádih* y
no Cádiz. En ese momento, cuando el ascensor ya llevaba un minuto parado en mi piso, os podéis imaginar lo que se cocía en mi mente. Ya estaba a punto de
preguntarle, sin ningún pudor, dónde había conocido a aquel marinero, cuando Andrés empujó la puerta suavemente y dijo:

—Tu familia va a creer que te ha pasado algo.

Tenía razón, claro, y en su cara no había más que
esa expresión limpia de los que tienen razón. No había nada que hacer contra esa cara, ni contra lo tonta
y lo inmensamente torpe que yo me sentía. Dos semanas esperando aquel desastre. Aquel chico, que
ahora que le veía mejor apenas tenía dieciséis años y
ya trabajaba todo el día, no iba a volver a mirar siquiera a la niña idiota que yo era. Pero todavía acerté
a decir, antes de bajar del ascensor:

—Adiós. Espero verte algún día por ahí.

Andrés no dijo nada. Me pareció que asentía con
la cabeza, pero fue un movimiento muy pequeño y
duró apenas un instante, antes de que la puerta se cerrase y tapara su gesto de exquisita amabilidad polaca. Me quedé un momento en el rellano, repasándolo
todo y dándome de tortas. Andrés tenía razón, mis
padres iban a preocuparse, así que terminé por admitir que a aquella niña entrometida no le quedaba nada
más que arrastrar las dichosas pantuflas hasta su habitación y acostarse y tratar de olvidarse de todo.
Mientras tanto, la montaña de arena, que no había
dejado de subir, tocaba ya las nubes.

5

El maldito top

La catástrofe ocurrió un miércoles, y durante el jueves y el viernes estuve bastante ausente, lo mismo en casa que en el instituto. En casa eso me sirvió para romper el recipiente de cristal de la cafetera de filtro, lo que me costó una bronca bastante merecida de mi madre. Cuando se te rompe el recipiente de cristal de una cafetera de filtro no tienes más remedio que comprar el recambio original, que vale casi tanto como una cafetera nueva. En el instituto la obnubilación provocó que me atascara en la pizarra con un sistema de ecuaciones. Cuando lo intenté resolver de cualquier manera, o sea, mal, el profesor, que era bueno pero a veces tenía un sentido del humor bastante perverso, comentó en voz alta:

—Eso que acaba de poner ahí vuestra compañera, y que es un perfecto disparate...

Yo no estoy acostumbrada como Irene a sacar todo sobresaliente, pero tampoco soy una bruta, y tengo mi dignidad. Por eso dejé la tiza en la pizarra y me fui a mi sitio sin esperar a que el profesor me lo dijera.

—¿Por qué te sientas, Gómez?

El profesor de Matemáticas siempre nos llamaba así, por el apellido. Le contesté:

—Usted lo ha dicho, es un disparate. Si ya me he ganado el cero, comprenderá que prefiera guardar mis esfuerzos para otra vez.

Podía haberme buscado un lío por eso, pero el profesor, como digo, no era mal tipo. En lugar de echarme de clase, se puso él colorado.

—No te lo tomes así —dijo—. Todos podemos equivocarnos.

Pero a mí me reventaban las risas de todos, y especialmente la de Cosme Chiclana, que por si no tenía poco con llevar el nombre más ridículo que nunca he oído, soltaba barbaridades del estilo de que la rana era un crustáceo o de que los musulmanes eran los que adoraban a Gandhi. Su risa era toda una cura de humildad, pero una cura de caballo.

Irene y Silvia, desde luego, se dieron cuenta de que algo me pasaba, y yo tenía o debería haber tenido con ellas la confianza suficiente para contarles el estropicio del ascensor, pero me daba tanta rabia haberme portado como una estúpida que no se lo conté. Eso me obligó incluso a mentirles, que es, salvo circunstancias absolutamente desesperadas, la peor falta que se puede cometer contra una amiga del alma como ellas dos lo eran para mí. Y tuve que mentirles porque casi cada día me preguntaban:

—¿No has vuelto a encontrarte con tu vecino polaco?

Hasta el miércoles les contestaba la verdad, que no le había visto, y después fantaseábamos las tres juntas sobre Andrés y su familia. A partir del jueves, les contesté que no le había visto, lo que ya era una mentira, y algo debieron de olerse porque después yo ya no fantaseé como otras veces. Pero eran dos buenas amigas y, en lugar de molestarse o de sospechar de mí, pensaron que me convenía distraerme y propusieron que el sábado saliéramos por el centro y tratáramos de colarnos en un pub o una discoteca.

Por aquel entonces las tres teníamos catorce años, a punto de cumplir quince. Silvia los hacía en enero, yo en marzo y la más pequeña, aunque cualquiera lo diría, era y es Irene, que cumple los años en mayo. Eso quería decir que en teoría no podíamos entrar en un pub o en una discoteca, donde siempre exigen que tengas más de dieciséis. Intentarlo era una especie de aventura, la de saltarte el control y meterte en un sitio prohibido. Lo hacíamos de vez en cuando y casi siempre lo conseguíamos, porque ir con Silvia ayudaba mucho. Algunos de los porteros la reconocían de los anuncios, y sólo por asociarla con la televisión ya les parecía que era mayor, o simplemente les gustaba que fuera a su local.

Otro de los trucos para entrar en los sitios prohibidos era la ropa, y la ropa era precisamente lo que a mí me causaba más problemas con mi padre. Aquel sábado, por ejemplo, que al final me apunté a la idea de Irene y de Silvia para olvidarme del desastre del miércoles, se me ocurrió ponerme un top un poco ajustado debajo de una blusa transparente. Antes de nada tengo que aclarar que lo hacía sólo para aparentar más edad, y que desde que cumplí los dieciséis años no me he vuelto a poner un maldito top ni creo que me lo ponga en toda mi vida, salvo que esté en la playa o algo así, porque ya me molesta que me miren el ombligo como si tuviera monos en la barriga. También tengo que aclarar que no es que me muera por ir a las discotecas o a los pubs, y que si iba era sólo por hacer algo que presuntamente no podía hacer. Así entenderéis que me fastidiara lo que me fastidiaba que mi padre me dijera, como me dijo aquel sábado cuando me vio salir:

—¿Qué pasa, que hace calor? Claro, es lógico. Estamos en diciembre.

Había cometido, con las prisas, el fallo técnico número uno, no abrocharme la cazadora, porque no era tan imbécil como para salir a la calle en diciembre sin una buena cazadora que supliera la poca ropa de debajo. Si me la hubiera abrochado, mi padre ni se habría dado cuenta.

—Llevo una cazadora —me justifiqué.

—Ana —se dirigió a mi madre—, ¿es normal que esta mocosa salga así a la calle?

—Así van todas —se encogió de hombros mi madre—. No va a llamar la atención.

—Mira que lo dudo. Aunque sea una cría, ya es un poco más que una niña.

Mi padre dice eso, «ya es un poco más que una niña», desde que notó que me empezaba a salir el pecho. Creo que es su manera de hablar de él, y que aquel sábado era su forma de sugerir que el top me lo marcaba demasiado. Una se acostumbra bien pronto a la importancia que los hombres le dan a ese detalle, cuando está en el colegio y los chicos empiezan a reírse de las más precoces y a llamarlas *vacas lecheras* o cualquier otra lindeza de las suyas, pero sin poder dejar de mirarlas todo el rato. El caso es que yo no soy un fenómeno de la naturaleza en ese aspecto y tampoco llevaba el top por hacer ostentación.

—¿Me puedo ir o me tengo que cambiar? —pregunté, parada delante de la puerta y de un mal humor que casi se me quitaban las ganas de salir.

Mi madre tomó el mando:

—Anda, ve y abrígate mientras estás en la calle, no vayas a enfriarte.

Pero no salí hasta que mi padre se rindió, de mala gana:

—Eso, ve y no me hagas caso, que debo estar tarado.

Había quedado con Irene y Silvia a las seis, porque las tres teníamos que estar a las diez en casa, bajo pena de prisión incondicional e incomunicada. Silvia también llevaba un top y una blusa de gasa, lo que me hizo sentir un poco menos asquerosamente, aunque a ella le quedaba mucho mejor, como siempre le queda todo. Irene iba más discreta, porque aun siendo la más joven siempre aparenta más edad con una facilidad pasmosa. Nos fuimos hacia la calle Madrid, a la que también llaman el *Tontódromo*. Es una calle peatonal que está en el centro de Getafe y por la que la gente va y viene, arriba y abajo y abajo y arriba. Más o menos alrededor de esa calle estaban todos los sitios en los que nos solíamos colar, y allí elegimos el objetivo, un pub que habían abierto hacía poco y que todavía estaba de moda. Esa vez nos colamos como las propias rosas, con un simple guiño de Silvia al portero. Nos sentamos en una mesa que vimos vacía, lo que ya casi fue un milagro, y pedimos cocacolas. No pedíamos cerveza, aunque seguro que nos las habríamos arreglado para que nos la dieran si hubiéramos querido. Ninguna de las tres estaba muy acostumbrada y gracias a eso la madre de Irene había estado a punto de pillarla una noche en que nos habíamos bebido dos o tres latas de cerveza en casa de Silvia y habíamos acabado un poco tocadas.

Ya digo que a mí no es que me gusten demasiado los pubs, y que lo único que me llevaba allí era la prohibición, porque lo cierto es que en cuanto nos habíamos colado y estábamos en la mesa y nos traían las cocacolas, ninguna de las tres nos divertíamos demasiado. La música que ponían a veces estaba bien, especialmente cuando les daba por poner canciones de los Dire Straits o de Queen, que me chiflan, aunque ya entonces eran unos ancianos que no le gustaban a casi nadie de mi edad. Por ejemplo, me encantaba cuando sonaba muy alto una canción estremecedora que grabó Freddie Mercury justo antes de morirse y que se llama *The Show Must Go On*. Sin embargo, eso era raro, y la mayor parte del tiempo ponían unas porquerías que sólo a duras penas podían llamarse canciones, y que de las tres la única que las soportaba era Silvia, que es la más tolerante en algunas materias, como esta de la música. Alguna tarde se nos acercaban chavales simpáticos, con los que se podía hablar un rato, pero casi siempre eran unos babosos que se bebían a Silvia con los ojos y que contaban los chistes más sin gracia que una se pudiera imaginar. Todos eran mayores que nosotras y por eso íbamos bastante prevenidas. Al final, nunca pasábamos en el sitio en cuestión mucho más tiempo que el de tomarnos las cocacolas o bailar un poco si había pista, sobre todo Silvia. Luego salíamos, aguantándonos la risa delante del portero al que habíamos engañado un poco antes, y nos íbamos a pasear por ahí, incluso aunque hiciera frío, porque el aire que se respiraba en la calle siempre era mejor que el que había dentro del local.

Aquel sábado nos quedamos un poco más que de costumbre, y debían ser como las ocho y media cuando salimos otra vez a la calle. Ya era de noche y corría un vientecillo que te helaba los huesos, pero veníamos tan acaloradas del pub que tardamos en abrocharnos. Así fue como dio tiempo a que él nos viera con nuestro uniforme de entrar en los lugares prohibidos, y como yo volví a desear que me fulminara un rayo y por segunda vez volví a sentir que la montaña de arena crecía rápidamente sobre mi cabeza.

Nos lo tropezamos en la propia calle Madrid. Venía paseando despacio, con las manos en los bolsillos, mirando los escaparates y los bares. Estaba solo y parecía que había salido nada más que a tomar el fresco y a ver el pueblo, quizá para distraerse después de pasarse toda la semana trabajando. Yo le vi a él antes de que él nos viera, y mi primer impulso fue apartar a mis amigas y tratar de evitarle, pero antes de que me diera tiempo a hacer nada él nos reconoció y Silvia me dio un codazo y dijo:

—¡Mira, tu vecino!

Me quedé paralizada, sin saber dónde meterme y sin hacer lo único sensato en que podía haber aprovechado aquel instante, abrocharme la cazadora. Silvia, sin ir más lejos, sí tuvo tiempo de cerrarse el anorak. Andrés no nos rehuyó y tampoco vino exactamente a nuestro encuentro. Siguió andando a la misma velocidad que antes, lo que en unos veinte segundos le trajo hasta nosotras. Entonces se paró y nos saludó.

—Hola —y distinguiéndome de una forma que me cortó todavía más, añadió—: Hola, Laura. ¿Cómo estáis?

—Muy bien, ¿y tú? —se adelantó a devolverle el saludo Silvia.

—Bueno, aquí, dando un paseo por el pueblo. Hace un mes que vivo en Getafe y veo que casi no lo conozco, todavía.

—No hay mucho que conocer —dijo Irene.

—No sé, a mí me no me disgusta —respondió él.

—A mí tampoco —dije yo, un poco ofendida con el comentario de Irene, y entonces me acordé de mi top y vi que Andrés lo observaba, o eso creí, porque a lo mejor era sólo que tenía los ojos un poco bajos, que era como él los ponía a veces. El resultado fue que me cerré la cazadora bruscamente y no me pudo quedar peor.

—Oye, ¿cómo es que hablas tan bien nuestro idioma? —le preguntó Silvia.

Andrés me miró, a mí y a los ojos, y por un segundo no supe qué significaba esa mirada, si le hacía gracia que todas le preguntásemos lo mismo o si creía que yo les había ocultado algo a mis amigas, que era en efecto lo que había hecho.

—No sé, se me dan bien los idiomas —dijo—. Ya llevo algún tiempo en España.

Nada del marinero de Cádiz, y eso me puso en la disyuntiva de creer que a mí me había mentido o que a Silvia no quería darle tantos detalles. En todo caso, por la forma en que me miraba, le había respondido acordándose de lo que me había dicho a mí la otra noche, y sabiendo que yo también me acordaba.

—Se te dan mejor que bien —le aduló Irene—. Casi no tienes acento.

—Gracias.

Yo veía a mis dos amigas, tan amables con mi vecino, y se me ocurrió de pronto que allí había un problema, aunque un problema un poco absurdo. Respecto de los chicos, teníamos unas reglas estrictas, que nos servían para mantener a salvo nuestra amistad. Si una decía que Fulanito le gustaba, Fulanito era para ella mientras no dijera que había dejado de gustarle, y eso aunque a Fulanito le gustara alguna de las otras dos o a alguna de las otras dos le gustara Fulanito. La que lo había dicho primero tenía toda la preferencia, y entre otras cosas ésta era una forma de que Silvia no se los quedara a todos, como habría pasado de no tener ninguna regla, lo que demostraba que Silvia, si se pensaba, era una amiga bastante generosa. Pero cuando no se decía nada, había libertad absoluta. Aquella situación de libertad era la que se estaba produciendo con Andrés, y a mí, por alguna razón, me molestaba. Lo absurdo de la situación era que a mí no es que me gustara Andrés, en el sentido habitual, y por eso no tenía ninguna razón para molestarme. Tampoco podía molestarme, por otra parte, porque no les había dicho nada a ellas, y por tanto no tenían la obligación de abstenerse. Pero con todo y con eso me molestaba, como si de verdad él me gustara y me enfureciera no habérselo dicho a ellas para que se quedaran en segundo plano. Y como la verdad era que Andrés no me gustaba, en el sentido que contemplaban nuestras reglas, tampoco podía haberles dicho que me gustaba para que las reglas surtieran efecto y ellas dos se retirasen. En resumen, que aquello era un lío, y además imposible de remediar.

—Íbamos a dar una vuelta —le soltó Silvia, aunque él no nos había preguntado qué estábamos haciendo—. ¿Te vienes con nosotras?

Andrés volvió a mirarme, y eso ya me desconcertó. ¿Sería que cada vez que le contestaba a Silvia tenía necesidad de pedirme permiso? ¿Sería porque Silvia era tan guapa como una actriz de cine? ¿Qué era lo que aquel chico creía que yo sentía por él? Antes de ponerme más en ridículo, aparté la cara y miré hacia otro lado, como si no me importara un bledo que él quisiera o no quisiera venir a dar una vuelta con nosotras.

—Os acompaño sólo hasta el final de la calle —oí que decía, con aquella voz de terciopelo que de pronto odiaba de una forma enfermiza—. Tengo que volver a casa para estudiar.

—¿Qué es lo que estudias? —saltó Irene.

—Primero, en el instituto.

—¿Y no eres un poco mayor para estudiar Primero?

—Bueno, tengo dieciséis y unos meses. He perdido dos cursos, con el cambio desde Polonia.

En medio de todo, es decir, aunque Andrés les estuviera revelando a Irene y a Silvia lo que yo habría querido averiguar primero, y aunque mientras tanto yo estuviera reconcomida y sintiendo aquellos celos inmundos de ellas, que eran las mejores amigas que tenía o las únicas, me llenó de orgullo haberle acertado la edad. El orgullo es así, una especie de alegría idiota que te viene en los momentos más inoportunos y por cosas que no tienen ninguna importancia y que nunca arreglan nada.

—¿Y cómo es que nunca te vemos en el instituto? —hurgó Silvia.

Pensé que no, que no podía ser, que no iba a hacerlo, y hasta me resistí a volver la cara, pero terminé por volverla y zas, antes de responderle a Silvia, Andrés fue y me miró otra vez. Luego sólo dijo:

—Voy a nocturno. De día trabajo.

Irene y Silvia se quedaron boquiabiertas. Para ellas, como para mí, el que un chico de dieciséis años, apenas uno más que nosotras, ya se ganara la vida, era algo bastante fuerte. De repente se convertía en una especie de adulto prematuro, que intimidaba un poco y también daba algo de envidia. A Andrés no le podía decir su padre lo que alguna vez nos decían a nosotras nuestros padres, para zanjar las discusiones en las que se quedaban sin argumentos: que mientras nos mantuvieran, allí se hacía lo que ellos mandaban. Pero Andrés se lo había desvelado sin alardear, casi como si le diera vergüenza, igual que cuando había tumbado a los dos amigos de Roberto.

Seguíamos bajando por la calle Madrid y ya llegábamos a la plaza del General Palacios, que es donde se acaba la zona peatonal. Como la calle sigue todavía bastante, aunque ya sea diferente y haya espacio para los coches, creíamos que Andrés seguiría con nosotras. Pero en mitad de la plaza, se paró y se disculpó:

—Tengo que dejaros aquí. Me espera tarea en casa.

Irene y Silvia se quedaron un momento sin saber cómo reaccionar. Yo advertí su titubeo y entonces me llené de valor, o acaso era la rabia por lo que me parecía que él pensaba sobre mí, que más valía aclarar en seguida y a solas. Y di mi golpe sorpresa:

—Me parece que he cogido frío. Yo también me voy a casa —y volviéndome a Andrés, le pedí—: ¿Te importa mucho si voy contigo? Así no hago todo el camino sola.

Irene y Silvia se quedaron en el sitio. Después tendría que darles alguna explicación sobre aquella salida de tiesto, y no sabía cómo ni qué iba a explicarles, pero de momento Andrés volvió a dirigirme su mirada diáfana y me dijo con su voz más dócil:

—Por qué me iba a importar.

6

Otra noche fatídica

Después de dejar a Silvia y a Irene, estupefactas en mitad de la plaza, bajamos hasta la avenida Juan de la Cierva, y en todo ese trayecto fuimos sin cruzar palabra Andrés y yo. Me daba la impresión de que él pensaba que tenía que ser yo la primera que hablase, ya que había empleado aquella estratagema para deshacerme de mis amigas, y si pensaba así, puede que no le faltara razón. Por eso, y para ponerle a prueba, comenté:

—No le has hablado a Silvia del marinero de Cádiz.

Los ojos azules brillaron y recuperó sin ningún esfuerzo su sonrisa, que era muy parecida a la de su hermana, o quizá algo menos luminosa (porque definitivamente él no era tan guapo como ella), pero igual de convincente.

—Claro que no —dijo, un poco malicioso—. Tampoco creo que tú le vayas contando lo mismo a todo el mundo. A unos se les cuentan unas cosas y a otros otras.

—Así que eres un mentiroso. ¿Y puedo saber con quién? ¿Con Silvia o conmigo?

—No se trata de mentiras. A cada uno hay una forma de contarle la verdad.

—Así que hubo un marinero de Cádiz.

—Claro que lo hubo. Se llamaba Juan Utrera y llegó a Polonia en 1944, con los rusos. No le gustaba Rusia y se quedó en mi país. Cuando yo le conocí era ya viejo, tenía setenta años o más. Nos enseñaba español a unos cuantos chavales en una escuela del puerto.

Me había recitado todos aquellos datos tan precisos de carrerilla, como diciéndome: «No sólo no es una mentira, sino que todo se puede comprobar, y puedo dar fechas y nombres y todo lo que me pidas, niña lista».

—¿Y por qué le has ocultado a Silvia lo del marinero?

—No sé —se encogió de hombros—, creí que a ella no iba a interesarle como a ti.

—¿Y qué es lo que crees que a mí me interesa? —le espeté, porque acabábamos de llegar al meollo del asunto, o lo que es lo mismo, a lo que había que aclarar.

—Tampoco lo sé seguro. Pero creí que te interesaría lo del marinero, y también creo que acerté. Si no te hubiera interesado no me habrías preguntado ahora.

Si fingía aquella modestia con que se explicaba, era uno de los mejores fingidores del mundo. Viéndole y oyéndole, costaba estar enfadada con él, y empezaba a temerme que no había hecho otra cosa que malinterpretarle desde el principio y que aquellas ansias justicieras que me habían llevado a desembarazarme de mis amigas no podían estar más fuera de lugar. A fin de cuentas, él no tenía ninguna culpa de mis meteduras de pata. Ahora íbamos a tomar la avenida de España, donde nos habíamos conocido. Hacía un frío de mil narices, y por cierto que la nariz roja de

Andrés destacaba en mitad de su cara como una luz de semáforo. Yo, por mi parte, me sujetaba con fuerza la cazadora hacia abajo, porque en cuanto se me subía un poco me entraba hielo en los riñones y me acordaba del comentario sarcástico de mi padre y del top y de todo lo que no me quería acordar.

—Bueno —reconocí, tratando de hacer las paces—, me interesa tu país. Es la primera vez que viene a vivir alguien extranjero al barrio. Sólo es eso, curiosidad.

No me hizo muy feliz haber utilizado la palabra *curiosidad*, que tiene un significado bueno y otro malo, y supuse que Andrés, que dominaba nuestra lengua, podía entender cualquiera de los dos. Entendiera lo que entendiera, no perdió su cortesía:

—Eres la única española que conozco que siente curiosidad por Polonia —y entristeciéndose un poco, explicó—: En casi todas partes me encuentro gente que me parece que preferiría que no hubiera venido aquí. En el trabajo, en el instituto. En el propio portal.

—No hagas ni caso a los del portal. Son todos unos cretinos. Bueno, no es que todos lo sean, pero todos se dejan llevar por los que sí lo son.

—A mí me gusta España —dijo Andrés, mirando las estrellas que aquella noche se veían en Getafe, donde, a propósito, es más bien raro que se vean—. Me gusta el sol, y que en invierno no haya nieve. Y también me gustan los españoles, porque son diferentes de los polacos y sin embargo hay algunas cosas en las que nos parecemos.

Mientras le oía descubrí por qué me gustaban a mí ellos, que era precisamente por lo mismo: porque eran diferentes, y eso no era una razón para tenerles prevención, sino todo lo contrario, para que fuera tan emocionante investigar sobre ellos y sobre aquella tierra extraña de la que venían. Y al mismo tiempo otro estímulo era ver cuánto podían parecerse a nosotros, a pesar de sus ojos tan azules y su idioma incomprensible. Estar allí, hablando con Andrés, mientras bajábamos la avenida de España, y oírle expresar sentimientos tan semejantes a los míos, era una prueba irrefutable de que el tesoro abandonado que nadie veía estaba ahí, al alcance de mi mano. En eso, Andrés me preguntó:

—Y a ti, ¿qué es lo que te gusta de Polonia?

—Bueno, no sé mucho —confesé, y tuve que recurrir a mis conocimientos desperdigados—: Me gusta el concierto para piano de Chopin. También me gustan los nombres, el de ese mar que tenéis, el Báltico, o los de las ciudades, como Varsovia. Siempre me ha parecido un nombre precioso, aunque ya sé que vosotros lo decís distinto. Y también me gustó una historia un poco trágica que me contaron una vez, la historia de la división Pomorska.

—La división Pomorska —repitió, incrédulo.

—Sí —dije, precavidamente.

—¡La división Pomorska! —volvió a repetir, sacudiendo la cabeza.

—¿Tiene algo de malo?

—¿Malo? No. Todos los polacos sabemos la historia de la división Pomorska. Pero lo último que se me habría ocurrido es que una chica de Getafe la supiera.

—Tampoco somos tan incultos, en Getafe —protesté.

—No, si no es por Getafe. La división Pomorska —dijo por tercera vez, y no tuve más remedio que pensar que con aquella hazaña increíble me había ganado para siempre su respeto. Iba a ser verdad eso que te machacan todo el tiempo, lo importante que es atender en clase, aunque no siempre se vea la utilidad inmediata de lo que dice el profesor. Si yo no hubiera atendido a mi profesor de Sociales de Octavo, no habría podido lucirme ante mi vecino de la forma tan espectacular en que me lucí aquella noche.

Viendo que acababa de reunir de golpe todo un prestigio imprevisto, y que ya nos íbamos acercando a casa, decidí valerme de la ventaja y reanudar mi interrogatorio, el que había interrumpido la fatídica noche del miércoles anterior:

—¿De qué parte de Polonia vienes tú?

Andrés no respondió en seguida, quizá porque continuaba dándole vueltas a lo de la división Pomorska. Cuando volvió en sí, dijo, todo interesante, porque él también sabía, y vaya si sabía, dar un golpe de efecto:

—Justo de allí, del nombre precioso. De Varsovia.

Usó la palabra española, y de todas las veces que yo la había oído, ninguna me había producido ni la décima parte de la impresión que me produjo escuchársela a él. Hasta que conocí a Andrés, nunca creí que las palabras pudieran ser como un cuadro o una sinfonía, es decir, algo que te deja clavada en el sitio tratando de entender, en balde, cuál es el misterio que el pintor o el músico han descubierto. Andrés había descubierto el misterio de esa palabra, como el de tantas otras, y la pronunciaba para mí, en mitad de aquella noche de diciembre, para derretir la noche entera y para que yo me quedara clavada en el sitio al oírla. Creo que fue en ese momento cuando él se dio cuenta de que podría llevarme a donde quisiera con sus palabras, y no me importa confesar que me alegro de que se diera cuenta, aunque no todo lo que pasó después fuera alegre (ya sabéis que nunca es alegre todo), porque gracias a eso existe este libro y los recuerdos que lo alimentan, y también gracias a eso me contaron la historia que ahora yo puedo contaros a vosotros.

En medio de mi embobamiento, a pesar de todo, no dejé de reparar en un pequeño detalle. A aquellas alturas, yo conocía perfectamente el mapa de Polonia, o al menos lo conocía lo bastante como para saber que Varsovia está tierra adentro, a cientos de kilómetros del mar. No llegué a desconfiar, sólo dije, inocentemente:

—Pero Varsovia está en el interior.

—¿Y?

—Dices que el marinero te enseñó español en una escuela del puerto. ¿De qué puerto?

Por una décima de segundo, me pareció que Andrés dudaba, o al menos se le fue la sonrisa. Pero en seguida regresó, como si nunca se hubiera ido. En realidad, no puedo asegurar que llegara a perderla, tan rápido fue.

—No es un puerto de mar —dijo.

—¿Y qué es entonces, un puerto sin barcos?

—No, claro que hay barcos. Están en el río, el Vístula. Es un río navegable.

Otra vez el dato oportuno, pensé, y la palabra exacta: *un río navegable*. ¿Se la había enseñado el marinero de Cádiz? Sin embargo, me fijé más en esa otra palabra, una nueva palabra encantada que yo no había oído antes: *Vístula*, así había llamado al río, también a la manera española. Luego averigüé que ellos lo decían de otra forma, *Wisła*, que suena aproximadamente *Wisua*, pero para mí será siempre así, Vístula, que fue como sonó por primera vez en mi corazón. En cierto modo, se me ha ocurrido más de una vez, no deja de ser curioso que las palabras con que Andrés me iba atrayendo a su tierra fueran palabras españolas. A mí me transportaba a Polonia, y a Polonia la traducía siempre al español.

—Parece como si supieras mucho de ese río —dije.

—Bueno, sé algo —otra vez la modestia—. He navegado por él, con mi padre.

—¿Navega tu padre?

—Navegaba. Era capitán de barco, pero ahora es albañil. Aprecian bastante a los albañiles polacos en España. Capitanes de barco, por lo visto, los hay de sobra.

Me acordé, claro, del hombre del bigote rojizo al que había visto subir por la escalera, después de pedirle perdón a Mariano y haber encajado sus insultos. Pensar que fuera capitán de barco le daba de pronto ese aire un poco heroico que rodea a los capitanes de barco y a todos los que no tienen a nadie a quien consultarle lo que se debe hacer. No sé si algún día os habrá dado por pensar en ello. Si un capitán de barco de repente tiene una duda que le corroe, por ejemplo si de repente no está seguro de si la ruta que hace seguir a su nave es la buena o se ha equivocado doscientas millas atrás, no puede acudir a nadie, y mucho menos permitir que la tripulación se dé cuenta. Por eso no se suelen escribir libros sobre las dudas de los capitanes de barco, porque esas dudas son algo que siempre queda en el secreto de la historia. Las vacilaciones que han tenido, incluso aunque lograran superarlas y volver a poner la nave en el buen rumbo, son algo así como la vergüenza inconfesable de los capitanes de barco. Aunque sí hay un libro que alguien escribió sobre eso. Es un libro del que no puedo hablaros todavía, porque sería adelantarme a nuestra historia. Las historias pueden empezarse de cualquier forma, y la prueba es que yo empecé ésta con Roberto, pero de ningún modo pueden seguirse al tuntún, sino por su orden lógico.

Cualquiera que me conozca como vosotros ya me conocéis puede imaginarse que en ese momento, en el que el portal se iba acercando inexorablemente hacia nosotros (era al revés, claro, pero así la descripción es más cinematográfica), yo a duras penas podía contener mi avidez por profundizar en las aventuras del padre de Andrés, donde quizá también Andrés hubiera tenido su participación, ya que había navegado con él por las aguas del Vístula. Pero se me acababa el tiempo, con la misma rapidez angustiosa con que se acababan los metros que nos faltaban para llegar al portal. Aunque estaba siendo tan amable conmigo, en cuanto llegáramos, mi vecino se iría derecho al ascensor, y ya podía verle llamándolo, y apretando el botón de mi piso, y dejándome en el rellano con la miel en los labios.

Pero si sólo hubiera sucedido así, aquélla no habría sido otra noche fatídica, sino sólo una noche a medias, y no estaría justificado el título de este capítulo. Los que iban a justificarlo nos esperaban, o más bien le esperaban a Andrés, detrás de una furgoneta, enfrente del portal. Cómo habían llegado a esconderse ahí, se lo saqué a Roberto un par de días después, sometiéndole a un tercer grado bajo la amenaza de denunciarle como el cerebro del incidente. Resulta que cuando Andrés había salido, una hora antes, Raúl, uno de los dos compinches de Roberto, le había visto y había ido a contárselo a Arturo, el del codazo en las costillas. Entre los dos habían planeado sobre la marcha darle un escarmiento al polaco y, previendo que pudiera haber complicaciones, se habían buscado otros dos armarios como ellos para que les echaran un cable en caso de apuro. Roberto ni se había enterado, y yo le creí, no sólo porque disponía de una coartada impecable, que aquel sábado se había ido a la parcela que tenía en el campo su familia, sino porque la jugada era demasiado sucia para que él estuviera detrás. Ya sabéis que Roberto no es lo que se dice un individuo de grandes principios, pero, para ser justos con él, tampoco es un canalla sin escrúpulos.

Fue justo cuando yo iba a interrogar a Andrés sobre aquellas travesías por el Vístula. Una voz que no tardé en reconocer gritó desde detrás:

—Eh, polaco.

Al mismo tiempo, y siguiendo una estrategia pérfidamente preparada, dos de los cuatro armarios nos cortaron el paso. Andrés y yo nos volvimos hacia el que había hablado, que era ni más ni menos que Arturo, al que acompañaba uno de los dos armarios nuevos. Raúl iba con el otro, y no había que estrujarse demasiado los sesos para adivinar qué era lo que se proponían. Andrés reaccionó como el rayo:

—Vete para el portal, Laura.

Diréis que no podía abandonarle allí, a merced de aquellos cuatro energúmenos, y lo mismo me decía yo, pero a continuación me dije que si alguna de aquellas ocho manazas me daba, voluntaria o involuntariamente, iban a tardar veinte años en recoger todos mis cachitos, y sobre todo, que Andrés me pedía que me fuera porque así le dejaba más suelto y podía tener una oportunidad. Aunque ya se veía que la oportunidad era minúscula, me escabullí como una desertora. El instinto de conservación es un impulso miserable, pero bastante persuasivo. También podéis adivinar que en ese instante el corazón, que no se había portado mal aquella noche, me iba de pronto a cuatrocientos ochenta mil por hora, lo que me impedía pensar demasiado. Cuando notó que me retiraba, Andrés les pidió:

—Dejadla a ella fuera de todo esto. Ya me tenéis a mí.

Los armarios iban por él, hasta tal punto que ni siquiera se inmutaron cuando yo salí corriendo despavorida. Me alejé unos veinte metros, y no debía haberme parado, pero me paré, y me di la vuelta, y oí a Andrés:

—Os habéis asegurado bien, ya lo creo.

Cualquiera lo habría dicho qué se yo, llorando, o más bien no habría dicho nada. Pero Andrés lo dijo con su sonrisa de siempre, como si en vez de una paliza fueran a darle un diploma olímpico. Arturo contestó:

—Agárrate, polaco. Te vamos a mandar de vuelta al Polo Norte.

—No vengo de tan arrib...

Andrés pudo sortear las embestidas del primero, del segundo armario. El tercero ya le dio de lleno, y el cuarto le cayó encima. Después de eso, no quise seguir mirando, es decir, por fin se hizo la luz en mi cerebro y me eché a gritar y a correr a toda prisa hacia el portal. Allí, delante del portero automático, decidí que sólo podía tocar dos teclas: el Sexto B y mi casa. Toqué las dos y grité en el micrófono, como una loca:

—¡Bajad, rápido, que lo matan!

Luego seguí gritando, y empezaron a abrirse ventanas y balcones, y cuando los armarios se dieron cuenta de que tenían espectadores soltaron su presa y salieron huyendo, me imagino que llenos de orgullo por haberle podido entre cuatro a aquel flacucho insolente. Entonces corrí hasta él y me arrodillé a su lado. Sangraba. Yo no había visto nunca a nadie sangrar así, pero no podía desmayarme. Empecé a hablar, a trompicones:

—Tranquilo, no es nada. He llamado a tu casa y ya vienen para acá. En seguida te llevamos al hospital y allí van a curarte en un momento, no te preocupes.

Yo estaba muy asustada, y Andrés también habría debido estarlo, porque la sangre era suya. Pero aquel chico o no andaba bien de la cabeza o no debía saber lo que era el miedo. Con un hilo de voz, todavía le dio por burlarse:

—La verdad, qué negro está el Polo Norte.

Y luego soltó cuatro o cinco palabras polacas, pero ésas ya no las pude entender.

7

La mirada de acero

La mañana siguiente, a eso de las doce y media, me presenté en la puerta del Sexto B. Antes de tocar el timbre me quedé cerca de un minuto mirando aquella puerta. Tras ella estaba el hogar de mis vecinos polacos, por eso nadie del portal había querido atravesarla nunca. Yo venía dispuesta a atravesarla, y me importaba un rábano que todos se enterasen. La noche anterior a Andrés le habían dado una somanta horrorosa, y todo había sido en definitiva por mi culpa. Si yo no le hubiera llamado armario a Arturo, y Arturo no hubiera intentado pegarme, y él no hubiera tenido que interponerse, nada habría pasado. Yo hacía un chiste, para dármelas de graciosa, y el resultado era que a aquel pobre chico que sólo me había defendido le molían vivo. Tenía que subir, y subí.

Llamé sólo una vez. Al cabo de unos segundos interminables oí unos pasos muy ligeros que venían por el pasillo y se detenían ante la puerta. Tardó un poco en abrir. Era la madre de Andrés y parecía muy sorprendida de verme:

—¿Sí? —dijo.

—Venía a saber cómo está Andrés.

—Está sí, bien, él —contestó, toda insegura. Se veía que no hablaba nada bien el español, y quizá fuera por eso por lo que estaba nerviosa. La otra posibilidad era que la pusiera nerviosa que yo fuera allí, a preguntar por Andrés, después de haber provocado todo. Por el modo en que me miraba, era como si estuviera enterada de mi intervención en el asunto. No terminaba de abrir la puerta y tapaba con su cuerpo la rendija tras la que me hablaba.

—¿Está durmiendo todavía? —pregunté.

—No, *ya despierto*.

—¿Puedo verle?

—¿Cómo? Ah, él...

En ese momento oí una voz de hombre que hablaba en polaco detrás de la puerta, y de pronto la puerta se abrió del todo. La madre de Andrés retrocedió un paso para dejarle sitio a su marido. Yo nunca le había visto de frente, al capitán. Era bastante alto y encima del bigote rojizo tenía unos ojos grises como el acero, que se quedaron clavados en mí. La noche anterior, cuando había bajado con mi padre y entre los dos habían llevado al hospital a Andrés, apenas había tenido tiempo de verle, y él había estado tan ocupado con su hijo que casi no había reparado en mí, o eso me había parecido.

—Quieres ver a Andrés —dijo. También él, como su hijo, hablaba un buen español.

—Sí —susurré, un poco acobardada. El capitán me observaba como si yo fuera un insecto, o más bien era que yo me sentía como un insecto mientras él me estaba observando.

—Te llamas Laura, ¿no?

—S...sí.

—Pasa, Laura.

Lo dijo muy serio y a la vez amable, aunque ya sé

que es difícil imaginarse cómo puede ser eso. Pero así fue, y el capitán se apartó para que yo pasara y yo pasé con más miedo que vergüenza, porque había subido muy decidida pero ahora que estaba dentro de la casa me abandonaba el valor. El corazón me daba acelerones cortos, como si fuera a lanzarse a una de sus galopadas habituales, y yo procuraba respirar despacio, para impedirlo. Seguí por el pasillo hasta la salita, fijándome, aunque no quería fijarme, en cómo tenían decorada la casa. Estaba muy sencilla y muy limpia. No había ninguna colchoneta en el suelo, como temía Cristina, la vecina del Quinto A, y en una mesita, enchufado en su clavija de la pared, tenían su teléfono como todo el mundo. En la salita, la madre de Andrés me señaló una puerta al otro lado y se adelantó. Dijo *Andrzej* y algo en polaco y me invitó a que pasara.

Andrés estaba sentado encima de la cama. Llevaba un chándal azul y tenía un libro en las manos. Cuando yo entré en su cuarto, lo cerró y lo dejó encima de la mesilla. Estaba en español y pude leer el título y el nombre del autor en el lomo: era un libro de Joseph Conrad y se llamaba *La línea de sombra*. Le dediqué tanta atención el libro porque al principio me costaba dedicársela a Andrés. Tenía un ojo hinchado, moratones por toda la cara y unos puntos en la frente. Decididamente, había sido una masacre en toda regla.

—¿Cómo te encuentras?

—Bueno, casi no me encuentro —dijo, riéndose—. Ay, me parece que voy a tener que estar un tiempo sin reírme.

—Es una lástima. Tienes una risa agradable.

—¿Y tú? —pasó por alto mi cumplido—. ¿Te asustaste mucho?

—Todavía me tiemblan las piernas.

—Anda, siéntate por ahí.

Me senté a los pies de la cama. Andrés volvió a recostarse, con bastante cuidado. Debía tener toda la espalda magullada.

—¿Te han roto algo?

—No, qué va. Aunque no lo parezca, soy bastante duro. Es por el ejercicio. Si sólo son dos, te sirve para poderles. Si son cuatro, no hay quien les pueda, pero por lo menos no te rompen nada. Todo tiene su lado bueno, ya ves.

Me acordé de Arturo y de Raúl, que todavía debían estarlo celebrando.

—Qué pedazo de cerdos —dije, muerta de rabia.

—¿Por qué? —los disculpó—. En realidad me lo había buscado. No debía haberle hecho daño a ese que saltó con lo del Polo Norte, ¿cómo se llama?

—Arturo.

—Ése. Yo me aproveché de mi superioridad técnica, cuando le vi venir todo atropellado el otro día. Así que en cuanto él tuvo su superioridad, se aprovechó también.

—¿No va a denunciarles tu padre?

Andrés volvió a reírse y a hacerse daño.

—Ay —se quejó—. No, para qué iba a denunciarles. Es una pelea de chicos. Unas las ganas y otras las pierdes. No hay que querer ganar siempre.

—¿Y ni siquiera vas a ir por ellos cuando te cures?

—Ah no, eso sí que no. Si busco a Arturo y vuelvo a hacerle daño, la próxima vez vendrá con quince, y entonces sí que me ponen en el Polo Norte de verdad.

No entendía nada. ¿Era posible que se conformara?

—¿Y te vas a quedar así, y ellos de rositas?

—Pues sí.

—¿Y no te da rabia?

Andrés se encogió de hombros. Poco, porque también eso le dolía.

—Claro, pero se me irá pasando. Si ahora voy a buscarles yo, y después vienen ellos, y después otra vez yo, no se me pasará nunca. En realidad, qué me importa Arturo. Ni siquiera sabe pelear, necesita a otros tres que le ayuden a aplastar, que es todo lo que puede hacer. Además, no olvides que soy un extranjero. No estaría bien que viniera a este país a pegar todo el rato a su gente. Me echarían, y con toda la razón.

—No te comprendo. Yo, si tuviera una pistola, los freiría a tiros.

Andrés me estudió detenidamente, como si tratara de cerciorarse de si yo podía ser capaz de hacer eso, freír a tiros a alguien.

—No te compres nunca una pistola —me aconsejó.

—¿Es por alguna idea religiosa? ¿Eres budista o algo así?

—No —meneó la cabeza—. Ya he perdido alguna vez antes, así que he tenido que aprender. ¿Tú no has perdido nunca?

La pregunta me cogió desprevenida. ¿Que si había perdido? ¿A qué se refería exactamente? Perder, lo que se dice perder, en fin, a bote pronto me acordaba de una vez, en una tómbola que vino al barrio, por las fiestas. En aquella tómbola hacían un sorteo en el que a todos los niños les tocaba algo. Había una Barbie Princesa, ya sé que es bastante estúpido, pero hay que hacerse cargo, yo sólo tenía cinco años y una Barbie Princesa me parecía el súmmum de lo que me podía tocar en la tómbola. Me pasé todo el rato mirando la Barbie Princesa, que al final le tocó a una niña repelente que se la llevó como si se la mereciera desde el principio. A mí me tocó un yoyó barato. Ésa podía ser la primera vez que supe lo que era perder. Después, sí, había perdido otras veces, pero no sabía si en el sentido en el que Andrés empleaba la palabra. Parecía un sentido más trascendental que todo eso.

—¿Perder cómo?

Se quedó pensando un poco.

—Perder de verdad. No tanto como los jinetes de la división Pomorska, porque eso ya no tiene remedio, pero casi. Perder de tal forma que te quedes tirado en el suelo, y mires hacia arriba y digas: «He perdido, y ahora cómo me levanto». Y a pesar de todo, levantarte.

—No —reconocí, y al reconocerlo me sentía, igual que me había sentido y me sentiría otras veces, como una niña ignorante y mimada a su lado.

—La historia de mi país es un buen ejemplo, porque mi país ha conocido esa forma de perder muchas veces. A Polonia la han invadido casi todos los países que la rodean. Los rusos, los alemanes y a veces los dos al mismo tiempo. Rusia y Alemania son países mucho más grandes que Polonia, y Polonia nunca podría invadirlos. Después de cada derrota, todo lo que podía hacer era tratar de reconstruirse ella, no intentar invadir Rusia o Alemania, que habría sido imposible y la forma de no dejar de perder nunca.

—Y tú, ¿cuándo has perdido así?

Andrés esperaba mi pregunta y la atajó con otra:

—¿Y cuándo vas a ser tú la que me cuente algo a mí? Siempre me estás interrogando.

Me había cazado, claro. Salí del paso como pude, avergonzada:

—No tengo gran cosa que contar. Siempre he vivido en Getafe. Y no he navegado nunca.

—¿Te gustaría navegar?

—No lo sé. Sí.

En ese momento asomó en la puerta de la habitación el padre de Andrés. Sólo se quedó de pie allí, pero eso fue suficiente para que yo me diera cuenta de que tenía que dejar descansar a su hijo. No me atrevía a desobedecer una sugerencia del capitán, aunque fuera una sugerencia silenciosa como aquélla, de manera que me puse en pie de un salto.

—Te dejo —dije—. Tienes que estar tranquilo para recuperarte.

—Gracias por venir, y por lo de anoche. Si no es por ti, me liquidan.

—Si no hubiera sido por mí...

Iba a decir la verdad, que si no hubiera sido por mí no habría estado allí, con un ojo morado y una sutura de Frankenstein en la frente, pero la presencia del capitán me lo impidió y sólo pude añadir, antes de retirarme:

—Cuídate. Vendré a verte otro día, si quieres.

—Por favor —y sonrió, aunque le dolía sonreír.

El capitán me dejó pasar a mí primero hasta la salita y después hasta la puerta. Al pasar por la cocina me despedí, muy formal, de la madre de Andrés:

—Adiós, señora, encantada de conocerla.

—Adiós, *mucha gusta* —se equivocó.

Del capitán no habría sabido cómo despedirme. Por fortuna lo hizo él:

—Muchas gracias por subir, Laura.

A mí me gusta bastante mi nombre, porque creo que es un nombre que no es ni demasiado ordinario ni demasiado raro. Así, cuando te llaman a ti sabes que eres tú, al contrario que las Marías o las Cármenes, que cuando las llamas se vuelven varias además de la interesada, y por otra parte tampoco tienes que aguantar las bromas crueles que a veces les hacen a las Yeniferes o a las Yésicas o a las Déboras. Pero cuando lo oí en la voz profunda del capitán, me pareció de repente que no sólo no estaba mal, sino que era el mejor nombre del mundo. Había que ver aquella mirada de acero esforzándose por transmitir simpatía, mientras me decía: «Gracias, Laura». Aquella mirada de acero que tantas veces se habría perdido, desde el puente de su barco, en las frías nieblas del Vístula.

La noticia de la paliza corrió como la pólvora por todo el portal, incluyendo mi destacada actuación como chillona, que muchos, además, presenciaron en directo. Y para mi sorpresa, el suceso tuvo un efecto inesperado que demostró que la gente del portal en general era bastante buena gente, y no lo mezquinos y lo poco hospitalarios que yo les había creído a raíz del recibimiento tan suspicaz que les habían dado a los polacos. Esa tarde, y la tarde del día siguiente, muchos subieron al Sexto B a preguntar cómo estaba Andrés, y se ofrecieron para ayudar a sus padres en todo lo que necesitaran. A la hora de la verdad, y por mucho que hubieran murmurado, a todos les espantaba que alguien hubiera podido ser tan bestia como para apalear al pobre muchacho, y nadie quería que le confundieran con los que habían hecho una cosa semejante. Hubo, naturalmente, algunas excepciones, y la más previsible de todas fue Mariano, el padre de Roberto, que no sólo no subió a preguntar o a ofrecerse para nada, sino que todavía rezongaba porque aquella gente venía a pelearse a la puerta del bloque, cuando quienes habían venido eran justamente los amigos de su hijo.

Pero la paliza también tuvo un efecto negativo, que fue complicar mis relaciones con mi padre. Antes de nada tengo que reconocer, para que se tenga en cuenta y en su favor, que mi padre fue quien puso el coche para llevar a Andrés al hospital, y que fue el primero en ofrecerse y además uno de los que convenció a los demás vecinos de que había que ir a solidarizarse con los polacos. La noche de los hechos, además, no me preguntó nada, ni tampoco el día siguiente, el domingo, y no habría sido nada anormal que me hubiera pedido alguna explicación. Pero el lunes vino a mi cuarto con cara de circunstancias, se sentó enfrente de mí y se puso a enredarse con el dedo el pelo de la nuca. Siempre que mi padre se pone a enredarse con el dedo el pelo de la nuca, es señal de que va a decir algo que no va a gustarte, y que tampoco a él le gusta tener que decir.

—Laura —tampoco es buena señal que me llame así, por mi nombre oficial; cuando todo va bien y no tiene nada grave que tratar conmigo, mi padre suele llamarme Rita—. No sé si has pensado un poco en lo que ha pasado.

—¿Qué ha pasado? —defensa número 1: hacerse la tonta.

—Vamos, esto no es ninguna broma. El chico ha acabado en el hospital.

—Y los que le pegaron deberían estar en la cárcel —opiné, muy digna.

—No se trata de eso. ¿Desde cuándo vas con ese chico?

—No voy con ese chico. Me lo encontré en el centro y vine con él porque así no venía sola. Siempre me dices que no vuelva sola de noche.

—Entiéndeme, Rita —ésa, aunque despiste, es otra señal sospechosa: usar el nombre cariñoso en una conversación que ha empezado con el formal—. Yo no tengo nada contra ellos. Son buena gente y tienen todo el derecho de estar aquí y de ganarse la vida.

—Menos mal —defensa número 2, un poco arriesgada: ponerse sarcástica.

—No es para reírse, Laura —mi padre se estaba enfadando—. El caso es que, aunque no sean mala gente, quizá deberías tratar de ir con otros chicos.

—No voy con él, me acompañó, nada más —defensa número 3: ponerse repetitiva.

—Ya. ¿Y si pasa otra vez?

—Qué.

—A lo mejor otra vez no puedes avisar a nadie. Ellos no tienen la culpa, la culpa es de los otros, pero el problema está ahí. Además, un día terminarán volviéndose a su tierra. No hay que encariñarse mucho con la gente que anda de paso.

—Si se vuelven, me iré con él y me nacionalizaré polaca.

No era un buen momento para insistir con la defensa número 2. Ya digo que es arriesgada. Mi padre se puso de pie y pegó un grito.

—¡Basta ya! Escúchame, niña. No quiero tener que llevarte ninguna noche a ti al hospital. No voy a tenerte vigilada, pero te aconsejo que te busques otros amigos. Ya eres mayorcita, así que tú sabrás lo que te conviene.

Ésa es la forma que tiene mi padre de decir que no sé lo que me conviene, y que más me vale hacerle caso a él, que sí lo sabe. Mi padre siempre se ha preocupado por mí y aquella noche, mientras me gritaba, también se estaba preocupando. Yo me daba cuenta y, sin embargo, no podía aceptar lo que me proponía: arreglar el problema, si había un problema, dándole la espalda a quien era inocente. Pero tampoco podía desobedecerle en sus narices y obligarle a tomar medidas más drásticas. Por eso, cuando el martes subí a ver otra vez a Andrés, lo hice subrepticiamente. Volvió a abrirme su madre, que esta vez me dejó pasar aunque no estaba para autorizarlo el capitán, y me acompañó al cuarto y me trajo una cocacola. Andrés estaba de buen humor y ya le había bajado un poco la hinchazón del ojo. Miré la mesilla. En ella seguía *La línea de sombra*, lo que quería decir que lo estaba leyendo bastante despacio, porque no era un libro muy gordo. Me había propuesto no dejar que él notase nada, pero no tardó ni cinco minutos.

—¿Ha pasado algo?

No intenté mentirle. Supongo que no me creí capaz, y me daba que ninguna mentira que yo me inventase iba a poder engañarle.

—Mi padre no quiere que te vea más.

Andrés alzó la vista al techo. La dejó allí medio minuto, mientras meditaba. Después de esa breve meditación, se limitó a decir:

—Tu padre es un gran tipo. Me llevó al hospital más rápido que lo hubiera hecho una ambulancia. Deberías haberle visto, se saltó montones de semáforos.

Al oírle, no quise entenderlo. ¿A qué venía ese elogio de mi padre? Acababa de confesarle que quería que no volviera a juntarme con él y todo lo que se le ocurría era que mi padre era un gran tipo. Está bien ser agradecido, pero tampoco era para tanto. La ley obliga a llevar a los heridos al hospital. Te meten en la cárcel si no.

—¿Qué quieres decir? —pregunté, aunque sabía que no debía preguntarlo.

—Que puede que tu padre tenga razón. Puede que no tengas que verme más.

—O sea, que te daría lo mismo.

—A mí no. Me gusta charlar contigo. Pero si no puede ser...

Su tono resignado me puso furiosa. A veces todo se hunde de improviso y una se pone furiosa, aunque lo último que debería hacer es ponerse furiosa y más le valdría pararse a pensar y tratar de ver por dónde entra el agua. Lo malo de ponerte furiosa es que también acabas diciendo lo último que deberías decir, y así fue como yo dije:

—Ya lo sé. Has aprendido a perder, para eso eres polaco. Entendido. No te preocupes, no volveré a molestarte con mis fisgoneos.

Me fui sin terminarme la cocacola, dejando desorientada a la madre de Andrés y dejándome yo misma hecha polvo. Esa noche, mientras lloraba como una magdalena sobre mi almohada, no paraba de sonar en mi cabeza la última frase de Andrés:

—Tú nunca me has molestado.

8

El violín de Henryk Szeryng

Sobre las cosas de la propia intimidad cada uno tiene sus ideas, y cada uno se apaña con ellas como
mejor le parece y no es asunto en el que pueda meterse nadie. Una de las cosas más importantes de la
propia intimidad son los momentos en los que estás
triste. La gente, cuando está triste, hace las cosas más
variadas. Hay gente que se infla a comer chocolate,
gente que se queda viendo la televisión sin pensar en
nada, gente que se va a pasear aunque esté lloviendo
(muchas veces llueve, cuando estás triste) y gente
que simplemente apaga las luces y se tumba boca
abajo. Como digo, es cuestión de cada uno, y es una
cuestión bastante delicada, y por eso me cuidaré muy
mucho de criticar cualquiera de esas formas de estar
triste o de las otras muchas que hay. Pero yo, cuando
estoy triste, no hago nada de todo eso. Yo, cuando estoy triste, oigo música. Y para decirlo todo, os confe-
saré que la música que oigo es siempre la misma: el
Concierto para violín y orquesta de Chaikovski. Puede
parecer un poco obsesivo, escuchar siempre el mismo concierto, pero ésa es mi manera como cada uno
tiene la suya, y las maneras de estar triste no son algo

que se pueda explicar o discutir racionalmente. Sin embargo, sí puedo decir algo sobre cómo llegué a elegir el *Concierto para violín y orquesta* de Chaikovski.

Lo que ya he dicho es que en Primero, en el instituto, se daba Música. Era en esa asignatura donde te obligaban a estudiarte la vida de Bach y Chopin y Beethoven, y a conocer alguna de sus obras más representativas. Pero de Chaikovski, aunque te contaban por encima su vida y la lista de sus obras, no te obligaban a conocer nada. El *Concierto para violín y orquesta* lo escuché en el colegio, en Séptimo, y por absurdo que parezca, fue en la clase de Lengua. La profesora de Lengua era la más joven de todos nuestros profesores de Séptimo y casi la única que no se limitaba a seguir el libro. A veces, incluso tenía ocurrencias un poco estrafalarias. El *Concierto para violín y orquesta* de Chaikovski fue una. Un día vino a clase con un radiocasete y, sin decir nada, lo enchufó y puso la cinta. Empezó a sonar una música, y todos la escuchamos sin imaginar qué era lo que la profesora tramaba. Dejó que sonara unos diez minutos. Entonces lo cortó y preguntó:

—¿Qué os parece esta música, alegre o triste?

Como nadie habló, pidió que levantaran la mano primero los que creían que era alegre. Poco a poco se levantaron casi todas las manos. Después los que no creían que fuera alegre ni triste. Cuatro o cinco escogieron eso. Y por último los que creían que era triste. Sólo yo levanté la mano. La profesora me miró y dijo:

—¿Sabes qué, Laura? Yo estoy de acuerdo contigo.

A eso siguió una discusión bastante encendida. ¿Cómo podía ser triste una música tan enérgica? No sé si habéis oído ese concierto, pero el violín, que empieza muy despacio, termina por arrancarse con toda la orquesta, y la melodía empieza a sonar con mucho brío y haciendo un estruendo impresionante. Cuando la profesora me pidió que explicara a mis compañeros mi interpretación, yo dije que eso no quitaba para que fuera triste, porque a veces la tristeza también es una sensación que te sacude por dentro. Después la profesora dijo que no había una respuesta correcta, que la música era algo abierto a la subjetividad y que allí teníamos un ejemplo de sensación subjetiva.

A mis padres les sorprendió mucho que al preguntarme qué quería para mi decimotercer cumpleaños, que fue la semana siguiente, les contestara muy seria:

—Quiero una cinta del *Concierto para violín y orquesta* de Chaikovski.

Nunca había pedido una cinta de música clásica, y me costó convencerles de que era eso lo que quería. Mi padre odiaba a Bon Jovi, que era lo que yo oía por esa época (cualquiera tiene una debilidad, con trece años), pero eso le habría parecido más natural que Chaikovski. Al final me compraron el concierto, en la versión de una orquesta de Amsterdam, con un violinista que se llamaba Henryk Szeryng. Siempre que lo oía miraba este nombre en la carátula de la cinta, y por eso, aunque fuera tan raro, pronto se me hizo familiar. El *Concierto para violín y orquesta* de Chaikovski tiene pasajes tan rápidos que debe ser endiabladamente difícil mover los dedos a la velocidad necesaria. Y otros, por el contrario, son tan melancólicos que el violín parece como si gimiera. Para unos y para otros hace falta un violinista fuera de serie, como sin duda lo era aquel Henryk Szeryng.

Pues bien, todo esto viene a cuento porque durante los días que siguieron a mi último y accidentado encuentro con Andrés en su casa, en ningún momento me separé de mi *walkman* y a todas partes iba escuchando el violín de Henryk Szeryng y la música de Chaikovski. Incluso llevaba pilas en la mochila, para cuando se me gastaban. Pude gastar noventa o cien pilas, pero no me cansaba de oírlo. Aunque pasaran los días, la tristeza no se me pasaba, y esa persistencia me obligaba a seguir bajo la protección de mi violín mágico. Cuando el violín lloraba, o cuando se lanzaba a tumba abierta con toda la orquesta detrás, la música se mezclaba con mi tristeza, y así conseguía que fuera más honda y a la vez que me doliera menos, como si la tristeza no fuera tan mala si servía para sentir tan dentro del corazón toda la fuerza de aquella música magnífica de Chaikovski.

Pero no todo el tiempo podía estar escuchando violines, por desgracia. Estaban las clases, donde mi rendimiento seguía cayendo, y ahora en picado. Al cero de Matemáticas se unió otro cero en Dibujo, por una perspectiva oblicua que no era todo lo oblicua que debía, y luego me cascaron otro en Ciencias Naturales, por no saber describir un platelminto. Mientras lo encajaba me dije que nada importaba menos que saber describir un platelminto, porque había poquísimas probabilidades de que me fuera a encontrar nunca uno, y si me lo encontraba me iba a limitar a pisotearlo con todas mis ganas. Pero eso no consiguió consolarme. La verdad era que estaba en un apuro. Mi amiga Irene, que empezaba a preocuparse, me advirtió después del cero del platelminto:

—Como sigas sumando ceros te va a costar una barbaridad levantarlos.

Era una advertencia sabia, sobre todo en lo que se refería al cero de Dibujo. Para que el hueso de Dibujo te pusiera más de un seis en algo tenías que ser capaz de superar a Leonardo da Vinci, algo de lo que mis habilidades no podían estar más lejos.

—Ya lo sé —refunfuñé, de mala gana.

—¿No quieres contármelo?

A Irene, como a Silvia, les había contado lo que por otra parte ya todo el barrio sabía. Que alguien le había dado una paliza al chico polaco y que a mí me había pillado en medio la refriega. También había tenido que pedirles perdón, toda abochornada, por la jugarreta que les había hecho el sábado, dejándolas tiradas y largándome con él de improviso. Incluso les había pedido, si estábamos a tiempo, que se aplicaran nuestras reglas, porque si bien aquel chico no me gustaba, lo que normalmente considerábamos como gustar, tampoco estaba segura de que dejara de gustarme o de que me diera igual con quién pudiera ir. A pesar de mi barullo de argumento, Irene y Silvia lo habían entendido y me habían dicho que no me preocupase, que era mi vecino y eso era razón suficiente para que yo tuviera prioridad. Todo eso había sido el lunes, y hasta ahí había sido sincera con ellas, dentro de las circunstancias, pero lo del martes, la pelea con Andrés, todavía no se lo había contado.

—Mi padre no quiere que le vea más, y a él no le importa —le confesé a Irene, porque me hacía falta confesarlo—. Dice que quizá sea mejor así.

Irene meneó la cabeza.

—No lo creo. Sí que le importa.

—¿Y a ti quién te lo ha dicho?

—Vi cómo te miraba, la otra noche. Y acuérdate, le han pegado una paliza porque quiso defenderte, no porque sea polaco, como creen todos.

Las palabras de Irene me hicieron sentir culpable, al recordarme el principio.

—No sé, parece como si todo le diera igual —me quejé.

—¿Y a ti?

—¿A mí qué?

—Que si sigue sin gustarte.

No contesté, porque no sabía qué contestar. De pronto me había olvidado de todas mis pesquisas sobre Polonia, de las misteriosas aventuras del capitán de la mirada de acero, de Varsovia y hasta del Vístula. Todo aquello (los misterios, las palabras) había sido hasta entonces una música, como la de Chaikovski. Y lo mismo que para oír el concierto hacía falta el violín de Henryk Szeryng, para poder volver a pensar en aquella música de Polonia, me hacía falta la voz de Andrés. Sin ella, el resto perdía todo su sentido.

Así pasaron varias semanas, y pasó la Navidad y pasó también Año Nuevo, sin que nada mejorase mucho. Pero por lo menos no me cayeron más ceros sobre las costillas, porque después del consejo de Irene dejé de oír todo el tiempo a Chaikovski y empecé a alternarlo con el estudio, resignándome, en primer lugar, a aprender cómo eran y qué hacían los repugnantes platelmintos. Eso no quiere decir que me separase del todo de mi *walkman*, sólo que trataba de echarle más ánimo. Año nuevo, vida nueva, dicen.

Eso, echarle ánimo y escuchar mi *walkman*, era justo lo que iba haciendo el miércoles de la primera semana de clases después de las vacaciones de Navidad, cuando al salir del instituto, por la tarde, me encontré de pronto con Andrés, que entraba con su mochila al hombro. Mi reacción, al principio, fue de perfecto anonadamiento. Me quedé paralizada, sin saber qué hacer. Después, cuando me di cuenta de que sus labios se movían y no le estaba oyendo, apagué de golpe a Chaikovski y a Henryk Szeryng y dije:

—¿Cómo?

—Que cómo te va —repitió, supongo que resumiendo lo anterior.

—Bien. ¿Y a ti?

—Ya ves. Por un día llego a tiempo. Hoy hemos acabado antes en el almacén.

No sabía qué decirle, porque aquel encuentro era lo último para lo que estaba preparada aquella tarde y porque yo había sido quien había salido corriendo furiosa la última vez que nos habíamos visto. Me fijé en su frente.

—Ya te han cicatrizado los puntos.

—Bueno, todavía me pican. Pero no hay problema, es carne de perro.

Aunque ya sabía que dominaba mi idioma hasta extremos increíbles, lo de *carne de perro* me sonó de lo más raro, en boca de Andrés.

—¿Y el resto?

—Bien —aseguró—. Alguna otra cicatriz me quedará por ahí, pero no me importa. Fue por una buena causa.

¿Lo decía en serio? Bien mirado, ¿qué razones tenía yo para creer que no? Allí estábamos, contra la prohibición de mi padre y contra mi furia pasada, y yo no acertaba a imaginar por dónde podía salir. No me atrevía a irme, no debía quedarme. ¿Y él?

—¿Tienes mucha prisa? —dijo de pronto.

—¿Por qué? —pregunté, a la defensiva.

—Estoy pensando que llevo todo el curso llegando tarde y que si llego hoy a tiempo casi van a extrañarse. ¿Te apetece dar una vuelta?

Debía contestar que no, por hacerle caso a mi padre y por aquella irritante pasividad suya de hacía semanas. Pero contesté:

—Bueno.

Andrés sonrió. Hacía cuatro semanas o más que

no veía aquella sonrisa. Delante de ella todo me bailaba, y me volvía torpe y vulnerable. Echamos a andar, y habló él:

—¿Qué ibas oyendo? Se te veía completamente concentrada.

—Nada. Un concierto de violín —dije, un poco cohibida.

—¿De violín? Mi hermana tocaba el violín, en Polonia. ¿De quién es ese concierto? A lo mejor se lo he oído ensayar a ella.

—De Chaikovski —respondí, toda sonrojada. Aunque Andrés no podía saber lo que el concierto significaba para mí, sentía como si me estuviera viendo por dentro.

—No me suena. ¿Me dejas ver la cinta?

Llevaba la caja de la cinta en la mochila. La busqué y se la tendí. Leyó el nombre de la orquesta, el del director y en tercer lugar el del violinista.

—Henryk Szeryng —dijo, de una forma bastante diferente de como yo lo había pronunciado siempre, tan diferente que casi no me parecía la misma palabra—. Es un violinista polaco. Juraría que mi hermana tiene discos de él.

—¿Polaco? —me asombré, pero al mismo tiempo vi que era un nombre parecido a los pocos nombres polacos que conocía.

—Sí. Henryk es como Enrique.

De vez en cuando, pasa algo que parece un signo. Ya sé que creer que algo que pasa es un signo resulta una creencia un poco supersticiosa y no tiene ningún fundamento científico, pero a mí, a veces, me pasan cosas que me parece que son signos. Cuando me enteré de que había estado escuchando durante un año y medio la música rusa de Chaikovski interpretada por un violín polaco, qué queréis que os diga, me pareció que era un signo como una catedral de grande. Y por una asociación que comprenderéis en un momento, me acordé de mi viejo amigo Tarás Bulba.

—¿Has leído *Tarás Bulba*? —le pregunté a Andrés, sin poder contenerme.

—¿Qué?

—*Tarás Bulba*. Es la historia de un cosaco ruso, bueno, ucraniano, pero cuando Ucrania era de Rusia, que lucha contra los polacos.

—No lo he leído. Pero debe de haber muchas historias de ésas. Ya te conté que los rusos siempre han estado luchando contra los polacos. ¿Es un libro ruso?

—Sí.

—Entonces seguro que el cosaco gana.

—No. Los polacos le quitan a un hijo, le matan a otro y luego le matan a él.

—Ya veo. Qué demonios, los polacos —se rió Andrés.

—Pero fíjate en este concierto. Es una música llena de sentimiento, a mí me parece que muy triste. La escribió un ruso, hace cien años. Y ahora es un violinista polaco el que la toca, en mi cinta. Los mismos países que se han hecho tantas guerras y que se han tenido un odio feroz durante siglos, se juntan y sale un concierto de violín que te pone la carne de gallina. ¿No te parece una coincidencia preciosa?

De repente estaba emocionada, quizá demasiado. Andrés se paró.

—Te gusta mucho ese concierto, por lo que veo.

—Ya me gustaba antes, pero ahora me gusta todavía más.

—¿Porque el violinista es polaco?

—Sí.

Reanudó la marcha, y yo le seguí. Marchaba pensativo y tardó en hablar otra vez. Cuando lo hizo, fue para preguntarme, muy cuidadosamente:

—¿Cómo crees que es Polonia, Laura?

—No lo sé. Nadie me lo ha contado. Ni siquiera tú. ¿Cómo es?

—Llana, más bien —resumió, distante—. Hay lagos. Los lagos se hielan, en invierno.

—¿Eso es todo?

—No, claro que no es todo.

Volví la vista hacia él. Llevaba los ojos bajos y los hombros caídos. Era como si hubiera perdido la alegría, de golpe.

—¿Por qué os fuisteis de Polonia?

—Es una historia complicada. Quizá te interesaría —sus ojos volvieron a brillar, mientras me miraba—, porque todo empezó con unos rusos, precisamente.

Entonces, con aquellos rusos enigmáticos, la música perdida volvió a sonar en mis oídos, y a su arrullo volvieron a desbocarse todas las fantasías sobre mis vecinos polacos que se habían quedado congeladas en ausencia de Andrés. No quería dejar de escuchar aquella música y tampoco quería pasar otras cuatro semanas de tristeza, aunque siempre me quedaran Chaikovski y el violín de Henryk Szeryng, para compensar. Recordaba la bronca de mi padre y todas las dificultades que se interponían. Y sin embargo, le pedí:

—¿Por qué no me lo cuentas todo?

Esta vez, Andrés no se escurrió como otras veces. Se agarró a su mochila y dijo:

—No me importaría, no creas. Pero no de cualquier forma. Tendría que contártelo despacio, y para eso necesitaría horas, o puede que días.

—Podemos buscarlos —le ofrecí.

Andrés se volvió hacia mí, con gesto indeciso.

—Nunca podrías acoplarte a mis horarios —lamentó.

—¿Y por qué no?

—Durante la semana trabajo hasta tarde. Y el fin de semana me toca estudiar. Tengo que recuperar todas las clases que pierdo.

—¿Estudias incluso el domingo?

—El domingo podría sacar un par de horas. Tres, como mucho. A ese ritmo, necesitaríamos unos cuantos domingos.

—No importa —me delaté—. Mejor así.

Andrés dudó todavía.

—¿Estás segura? No me gustaría que se enfadara tu padre.

—No tiene por qué enterarse de nada —pensé a toda velocidad, y en un momento se me ocurrió la solución—: ¿Conoces el Cerro de los Ángeles?

—Desde lejos. No he ido nunca.

—Podemos vernos allí el domingo. Hay muchos sitios donde esconderse.

—¿Este domingo?

—Este domingo. ¿A qué hora puedes?

—A las cuatro y media, supongo —calculó.

—Quedamos a mitad de camino —dije—. Yo saldré un poco antes, y espero a que vengas, para que no nos vean juntos. Voy a hacerte un plano, para que no te pierdas.

Le hice el plano y le marqué los sitios, mientras él seguía aplicadamente mis indicaciones. Cuando terminé, cogió la hoja y se la guardó en un bolsillo. Antes de despedirnos hasta el domingo por la tarde, Andrés me salió con algo que no me esperaba:

—¿Puedes dejarme la cinta?

—¿Quieres oírla?

—La oiré, pero no es para eso. Es para que no vuelvas a marcharte, como la última vez. Si tengo una prenda tuya me aseguro de que este domingo y todos los domingos estarás allí. No te arriesgarás a quedarte sin el violín de Henryk Szeryng.

Para que no volviera a marcharme. No podía creerlo: yo, la idiota y la histérica de Laura. Saqué la cinta del *walkman* y se la di, sin contemplaciones.

—Si tú también estás, no me hace falta el violín.

Me salió del alma. De un plumazo ya no me sentía triste, sino llena de euforia y de ganas de enderezar todo lo que había dejado que se torciera. Ese mismo viernes entregué en el instituto un dibujo de una escalinata de tres tramos perpendiculares en perspectiva oblicua. El hueso, alucinado, me puso un nueve. Fue un acontecimiento histórico.

9

La atalaya

Ir hasta el Cerro de los Ángeles, para mí, era una expedición bastante respetable. Mi bloque está en la zona de Getafe más cercana al cerro, pero aun así hay un buen trecho. Y aunque mis padres me dejaban ir con mis amigas, supongo que se habrían llevado un buen soponcio si hubieran sabido que aquel domingo, cuando teóricamente salí a encontrarme con Irene y con Silvia para quedarnos por el barrio, en realidad me proponía ir sola hasta el final del paseo de John Lennon, donde me había citado con Andrés. El paseo de John Lennon es la recta que lleva hacia el Cerro de los Ángeles, y en él están todos los cuarteles y la base aérea de Getafe. Al parecer, John Lennon no podía ver a los militares y los militares no pueden ver a los sujetos como John Lennon, pero el hecho es que hay un regimiento de artillería cuya dirección es: «Regimiento de Artillería número equis, Paseo de John Lennon, s/n, Getafe». Parece una broma, pero es rigurosamente cierto.

En cuanto al Cerro de los Ángeles, es una de las cosas más famosas que tiene mi ciudad. Por si no lo sabéis, el centro justo de España está en Getafe y es precisamente el Cerro de los Ángeles. No es muy grande, si se compara con la sierra o con montañas de verdad, pero sobresale bastante en medio de la llanura y, además, está rodeado de un bosque frondoso de pinos, que también llama la atención en medio de los campos pelados de los alrededores. Encima del cerro hicieron hace mucho tiempo un monumento al Sagrado Corazón de Jesús, y durante la guerra, según me contó mi padre, unos incontrolados lo dinamitaron y hasta fusilaron a las estatuas. Todavía quedan algunas de esas estatuas, rotas y fusiladas. Como desagravio, después de la guerra levantaron enfrente otro monumento nuevo, enorme, con un pedestal muy alto donde hay una estatua gigantesca de Jesús. Al pie del pedestal, otras estatuas, que ya no están rotas ni fusiladas, le presentan ofrendas. Como el monumento es tan alto y está encima del cerro, y como el cerro tiene al lado una base aérea, le han puesto unas luces rojas de esas que sirven para avisar de noche a los aviones. Y una cosa curiosa es que las luces rojas están en el pedestal, muchos metros por debajo de la cabeza de la estatua. Supongo que nadie se atrevió a ponerle a Jesús una gran bombilla roja en la cabeza, pero siempre pienso que debe ser muy peligroso para los pilotos inexpertos.

También en el cerro, justo en la parte más alta, está la ermita de la Virgen de los Ángeles, que es la patrona de la ciudad. En verano le hacen una romería, incluso, y durante todo el año al cerro y a su bosque de pinos la gente va a pasear, hacer deporte o tomar meriendas, especialmente los fines de semana. Por muy concurrido que esté, sin embargo, hay tanto espacio que siempre se puede encontrar donde estar tranquilo. Por eso fue el lugar que se me ocurrió en seguida para ir en secreto con Andrés.

Tal y como habíamos convenido, yo salí un poco antes, para que no nos vieran ir hacia allí juntos. Llegué al sitio estipulado a las cuatro y veinticinco, y Andrés apareció exactamente cinco minutos después. Cuando le vi venir, me fijé en que era la primera vez que le veía sin su inseparable mochila. Caminaba más relajado que de costumbre, bajo la tarde apacible. Hacía frío, pero estaba despejado y a ratos el sol entibiaba el aire.

—¿Llego puntual? —preguntó, sonriente.

—Como un clavo. Vamos.

Por el camino hacia el cerro le fui contando todo lo que acabo de contaros a vosotros, para irle situando. Andrés me escuchaba con atención, y le extrañó mucho que alguien hubiera fusilado a unas estatuas.

—¿Y por qué hicieron eso?

—No lo sé —respondí, porque verdaderamente no lo sabía. Todo lo que me había dicho mi padre sobre el asunto era que por suerte ya había pasado la época de fusilar estatuas. Que una estatua es un pedazo de piedra y no puede hacerle daño a nadie, y que quien no simpatice con una estatua no tiene más que mirar a otro lado, porque las estatuas no se mueven. Me pareció una teoría bastante razonable. Mi padre suele ser así.

Cuando llegamos al bosque de pinos que está al pie del cerro, Andrés exclamó:

—No imaginaba que esto fuese tan grande.

En la explanada de la entrada había bastantes coches, gente con bicicletas, niños jugando y familias haciendo la sobremesa después del almuerzo campestre. Aunque fuese enero, o quizá por eso, un día de sol era algo que nadie quería desaprovechar.

—Vamos arriba —sugerí.

Subimos por la carretera que lleva a los monumentos y le enseñé todo a Andrés: el monumento nuevo, los restos del monumento viejo con las estatuas fusiladas, la ermita. Desde el monumento nuevo, al que se puede subir, se domina un paisaje muy extenso, en el que le fui señalando a Andrés, uno por uno, los pueblos y ciudades de las proximidades. Al fondo del paisaje se ve entera la sierra, verde y azul. Lo único que no se ve bien es Madrid, porque lo tapan la ermita y un par de edificios que hay al lado de ella. Nos quedamos unos minutos allí, junto a uno de los grupos de estatuas que le presentan ofrendas a Jesús; uno en el que están los Reyes Católicos y unos indios americanos. Era agradable sentir en la cara el viento que siempre bate en el cerro, y también lo era tener cerca a aquellos indios descomunales de piedra blanca, pero le dije a Andrés:

—Ahora que ya has hecho turismo, vamos a un sitio más recogido y con mejor vista.

—¿Mejor aún?

—Sí. Mi atalaya. Desde ella se ve todo Madrid.

Alguien pensaría que mi atalaya era un sitio todavía más alto, la ermita, por ejemplo, que está en la cima del cerro, y que además da al lado de Madrid. Normalmente es verdad que las atalayas son los sitios más altos, pero no siempre es desde los sitios más altos desde donde mejor se ven las cosas. Desde la ermita, por ejemplo, Madrid se ve a través de una valla espantosa rematada por varios alambres de espino oxidados. Y por si eso fuera poco, la valla tiene delante una antena y un tendido de la luz. Por mucho que te estires, no consigues librarte de tantos obstáculos. Mi atalaya está bastante más abajo, entre los pinos, y no hace falta estirarse nada. Desde ella se puede contemplar Madrid plácidamente, sentado en el suelo. Un día, mientras paseaba por la ladera del cerro, descubrí dos grandes pinos que tienen delante un pequeño claro. Pues bien, justo en ese claro cabe todo Madrid, y todavía hay la altura suficiente para que la vista se te pierda en el horizonte, más allá de la sierra. Allí llevé a Andrés. Nos sentamos en el suelo y le invité a que admirase el espectáculo. Desde mi atalaya, Madrid no parece una ciudad demasiado grande. A la derecha es roja, toda de ladrillo, y lo único que sobresale es la aguja del Pirulí. A la izquierda también es toda de ladrillo, y el edificio más sobresaliente de esa parte es el Hospital Gómez Ulla, una especie de caja de zapatos inmensa de color hueso. Más allá, se ve la mole oscura de la sierra. En el centro, por el contrario, Madrid es una ciudad más bien blanca, en la que destacan los edificios de la plaza de España y un pequeño cogollito de rascacielos. Siempre he creído que no hay mejor vista de Madrid que la que se tiene desde mi atalaya, o lo que es lo mismo, desde el sur, porque se ve toda la ciudad, con sus tres franjas, y al fondo la sierra, que es lo que hace grande y profundo el paisaje. No siempre el día está lo bastante claro, incluso a menudo la contaminación no deja ver nada, pero aquella tarde, como la víspera había habido mucho viento, la imagen era perfecta. Y encima de todo estaba aquel cielo azul intenso, salpicado de nubes de algodón. Andrés se quedó embobado, ostensiblemente.

—Me gusta Madrid —dijo, como si lo estuviera soñando.

—A mí también —reconocí.

—¿Y no preferirías vivir allí dentro?

—Pues no —contesté, convencida—. Si viviera allí dentro no podría verla entera, como la veo desde aquí. Creerás que es una tontería, pero me parece, cuando la veo así, que es más mía que de quienes están allí ahora.

Andrés se quedó callado, mirando la ciudad tendida a nuestros pies. Sólo se oía el viento y al fondo, como un rumor continuo, el ruido de la carretera de Andalucía, que pasa al lado del cerro. Las primeras veces que me senté allí me molestaba ese ruido. Luego, poco a poco, empezó a gustarme. Se convirtió en un murmullo que me relajaba.

—No creo que sea una tontería —opinó Andrés, después de un rato.

Aquello no era una frase trivial, de las que se dicen por decir. Me dio que Andrés, antes de pronunciarla, había estado pensando en algo que no le era indiferente. Se estaba bien, sólo mirando Madrid a lo lejos, y por eso yo no dije nada. Por eso y porque esperaba a que él cumpliera su parte del acuerdo. Ya era domingo, la hora que él había querido. Ahora le tocaba hablar a él. Y habló, como si también lo hubiera estado esperando.

—Nos habíamos quedado en lo de los rusos —recordó, sin esfuerzo—. Con ellos empezó todo, o se terminó, según se mire. Los rusos aparecieron un día de primavera, y la verdad es que era un día espléndido, uno de esos días en los que no deberían empezar historias así. A veces, sin embargo, empiezan, porque la primavera es tan deslumbrante como engañosa. Aunque parece que es una buena estación para navegar, por ejemplo, porque ya se ha derretido el hielo y hay mucha más luz, de pronto se desatan tormentas infernales o se forman nieblas espesas, que no te dejan ver a más de un palmo. Pero mejor voy por orden —se corrigió—. Antes de nada, tengo que hablarte del Cormorán.

—¿El qué?

—El Cormorán. Bueno, así lo traduce mi diccionario de español —dudó—. En polaco es Kormoran, con K.

El nombre viene de un pájaro grande que vive en la costa. También lo llaman cuervo de mar, porque tiene un color gris oscuro. Por eso le pusieron ese nombre al barco de mi padre, porque también era de color gris oscuro. Era un barco formidable para el río. Bajaba ligero cuando llevaba a favor la corriente, y subía sin desmayar cuando remontaba en contra. Llevaba ya diez años luchando contra el Vístula y, aparte de algunas pequeñas cicatrices, no daba ninguna señal de cansancio. Era un barco fuerte.

—¿Era?

No pude aguantarme, aunque por nada del mundo quería interrumpirle.

—Era —asintió Andrés—. Pero tendrás que esperar a escuchar toda la historia. Prometiste no ser impaciente.

—Lo siento.

—Con todo —continuó con su relato—, lo mejor del *Cormorán*, como pasa con todos los barcos, era la tripulación. Cinco hombres tenía mi padre a sus órdenes. Tres estaban bastante curtidos y dos eran muy jóvenes. Los jóvenes se llamaban Jan y Jakub, eran de Varsovia y compensaban con un sacrificio incansable su falta de experiencia. Jan ayudaba con las máquinas y Jakub en cualquier otra cosa que hiciera falta. Los mayores eran Stefan, de Cracovia, que hacía las veces de segundo de a bordo; Stanislaw, de Toruń, el jefe de máquinas; y un viejo duro como las piedras, mitad polaco y mitad ruso, que decía llamarse Mijaíl y juraba que había servido como cosaco en el Ejército Rojo. Contaba esa y otras muchas historias, que casi nadie creía, aunque Mijaíl se ponía hecho una fiera cuando se dudaba de su sinceridad. Antes de que uno se diera cuenta, empezaba a escupir palabrotas rusas como una ametralladora, porque el ruso, por si

no lo sabes, es uno de los idiomas más ricos en palabrotas que existen. Aparte de todos ellos estaba mi
padre, que era el capitán, y a veces, desde que cumplí
los doce años, me llevaba a mí, para ayudar a Jan y a
Jakub y para que le acompañara en el puente. Lo que
yo prefería por encima de todo era que me dejara estar allí por la noche, mientras el barco avanzaba silenciosamente por el río, a la luz blanca de la luna.
Mi padre me enseñaba cómo funcionaba todo y para
qué servía cada uno de los instrumentos, para el día
en que yo fuera capitán de un barco como aquél, o
quizá de uno mayor, que atravesase el océano.

Andrés se paró un instante, para ordenar sus recuerdos, o porque temía otra vez estar entrando demasiado rápido en materia. Cuando lo hizo, comprobé hasta qué punto me había dejado ya arrastrar por
sus palabras, que por fin se sucedían libre y generosamente. El sol iba cayendo, a nuestra izquierda, y yo
sabía que esa caída iba marcando lo deprisa que se
nos escapaba el tiempo. Un cuarto de hora después
de la puesta del sol, cierran siempre la explanada de
arriba del cerro, por donde teníamos que volver si no
queríamos dar un rodeo considerable. Además, habíamos pactado que estaríamos de vuelta en el bloque
antes de que fuera de noche. Andrés tenía que ayudar a algo en su casa, y a mí me exigían en la mía que
los domingos, si salía, no volviera demasiado tarde.

—Durante las travesías —siguió— hay muchos ratos muertos. A veces no hay nada que hacer durante
horas, y sobre todo en un río, donde no puedes per-
derte ni cuesta nada mantener el rumbo, porque sólo
hay dos rumbos posibles: contra el río o a favor. En
esas largas horas, unos días jugaba a las damas con
Jan y Jakub, con los que organizaba unos torneos en
los que cada uno se apostaba con los otros sus tareas.

A veces uno acababa con las tareas de los tres, a fuerza de perder, y había que echarle una mano de todas formas, porque si no lo habría descubierto el capitán, mi padre, y nos habría castigado a los tres y a mí más duramente que a ninguno. Otros días leíamos. Ésa era una actividad que a mí me daba un gran prestigio sobre los demás, porque yo leía unos libros hechos en Rusia pero escritos en español que me dejaba Juan, el marinero de Cádiz del que ya te he hablado, y ninguno más que yo podía entenderlos. Cuando me preguntaban, tenían que conformase con lo que yo quisiera contarles, y nunca podían estar seguros de que no me lo había inventado. Otro de los pasatiempos era pelear con Mijaíl. Ya te digo que yo no juraría que hubiera sido cosaco, como él pretendía, pero lo cierto era que dominaba todas las técnicas de pelea, y allí, sobre la cubierta, en las largas tardes de travesía, nos enseñaba. Ya era bastante viejo, Mijaíl, y sin embargo podía con los tres a la vez: con Jan, con Jakub y conmigo. Después de desembarazarse de los tres, siempre con cuidado de no lastimarnos, nos explicaba cómo lo había hecho, y así íbamos aprendiendo. Algunas tardes nos enseñaba golpes peligrosos y entonces nos advertía: «Con este golpe, se hace daño. Pensadlo siempre muy bien, antes de hacer daño». Y tenía razón. Yo no pensé antes de hacerle daño a Arturo, cuando salí a defenderte, o no pensé todo lo bien que habría debido. Y ya ves cómo resultó.

No creo que haga falta apuntar que yo, mientras Andrés hablaba, me iba bebiendo su historia casi sin respirar. De pronto, todo lo que había querido saber, como aquella increíble habilidad pugilística suya, era él quien iba dejándolo caer, sin necesidad de sonsacarle, envuelto en tantas otras imágenes sugerentes, del río y de su tierra lejana, y sobre todo, en aquellas palabras que él iba llenando una tras otra. Pero mientras tanto me daba cuenta, con desesperación, de que el sol bajaba y bajaba.

—Volviendo al principio —recuperó el hilo de su relato—, aquella mañana de primavera, estábamos en el puerto, haciendo los trabajos que había que hacer en el barco entre viaje y viaje, cuando vino el señor Oborniki, acompañado de otros dos hombres. Uno era alto y moreno y el otro gordo y calvo. El señor Oborniki le dijo a mi padre, que salió a recibirles, que aquellos dos hombres eran los señores Yusúpov y Róstov, de San Petersburgo, y que querían que lleváramos un cargamento muy importante a Gdańsk —Andrés nunca decía Danzig; él me contó que no era un nombre español, como yo había creído, sino alemán, y que como los alemanes habían querido quedarse esa ciudad, que tiene el puerto de mar más importante de Polonia, ningún polaco podía llamarla Danzig.

»No te he dicho —aclaró— que el *Cormorán* era eso, un barco de carga, y que la misión de nuestros viajes era justamente llevar mercancías arriba y abajo del Vístula, que además de pasar por Varsovia, desemboca en Gdańsk. El señor Oborniki era el dueño del barco y también quien decidía qué cargamentos se llevaban y qué otros no. Mientras el barco estaba en el puerto, él era el que mandaba, pero en cuanto soltaba amarras, el *Cormorán*, aunque él hubiera pagado el dinero que valía, era el barco de mi padre. Los barcos son más de quien los cuida que de quien los paga, y en eso son más listos que las personas. De todas formas, si el señor Oborniki decía que había que llevar la mercancía de los rusos, nosotros teníamos que llevarla, aunque los rusos no le hubieran gustado a primera vista a nadie. El señor Oborniki, que le explicó a mi padre que el cargamento eran unas máquinas de precisión muy caras, le dijo además que por eso, por si había algún problema con ellas, vendrían con nosotros los señores Yusúpov y Róstov. Ahí a mi padre sí que le costó disimular su malestar. El *Cormorán* no era un barco de pasajeros. Lo habían construido para llevar mercancías, no turistas. Y ninguna carga que hubiera transportado había sufrido nunca el más mínimo desperfecto. Pero el señor Oborniki era el dueño del barco. Mi padre le dijo que los acomodaríamos como pudiéramos. Entonces el señor Yusúpov sonrió mucho y le dio una palmada en la espalda a mi padre. Nunca te fíes, Laura, de los que sonríen mucho mientras te dan palmadas en la espalda.

El sol, definitivamente, se ponía. Poco después tuvimos que regresar hacia el barrio, porque ya iban a cerrarnos la explanada de arriba. A falta de unos diez minutos para llegar al bloque, Andrés se quedó rezagado y me dejó ventaja, para que llegara yo sola y no despertásemos ninguna sospecha. Antes de separarnos, preguntó:

—El próximo domingo, ¿a la misma hora y en el mismo sitio?

Preguntaba como si dudara de mi respuesta, pero mi respuesta no podía ser otra:

—Sí.

—Tengo miedo de que te aburras. No sé cómo vas a querer escuchar esta historia, así, a trozos, todos los domingos. Seguro que tienes cosas mucho más entretenidas que hacer.

—No me importaría que no la acabaras nunca —confesé, y me fui.

Parecerá que era una confesión peligrosa, y probablemente lo era, porque podía dar la sensación de que estaba colada por él, cuando el asunto, aquel extraño asunto entre Andrés y yo, seguía sin ser el asunto de siempre que me gustaba un chico en el sentido habitual de la palabra. Si me hubiera gustado en ese sentido, la verdad, no creo que hubiera aguantado más de dos semanas, teniendo que esperar siete días para escucharle tres horas y quedarme siempre colgada, esa caprichosa disciplina que Andrés había impuesto como condición a nuestras citas. Aunque quizá nada era tan injusto como que yo, que no tenía que dedicar ni un minuto a trabajar, llamara caprichosa a su forma de organizarse su poco tiempo y de reservar lo mejor, aquellas tardes de domingo, para mí. El caso es que, a partir de ese primer domingo, todas las semanas empezaron a ser como una pendiente suave que llevaba hasta la tarde de domingo siguiente. Me hice a bajar (o subir, según) aquella pendiente, siempre con la ilusión de encontrar al final a Andrés, en el sitio acordado. Y cada domingo él estaba allí y caminábamos juntos hasta la atalaya, donde seguía desenredando el hilo lento y misterioso de su historia mientras la tarde, a lo lejos, caía sobre Madrid.

Lo que sigue es esa historia, como la recuerdo, como me la contó él durante todas esas tardes; con sol y con nubes, con frío y sin él, a veces bajo la atmósfera limpia y a veces con la contaminación tragándose Madrid como un monstruo marrón. A lo mejor invento alguna palabra que él no dijo, porque mi memoria es como la de cualquiera y no puede guardarlo todo exactamente. Pero la historia, y por eso la pondré en cursiva, para que se distinga, es toda suya. A medida que la vayáis leyendo, hay algo que no puedo poner en el papel y que tendréis que imaginar vosotros. Cuando leáis esa cursiva, imaginad su voz.

10

Un caballo no lo bastante cansado

La carga llegó por la noche, en cuatro camiones con matrícula extranjera. Yusúpov y Róstov venían al frente del convoy, en un gran Mercedes negro que relucía bajo los focos del muelle. Dieron un par de órdenes y de los camiones bajaron en un momento diez o doce hombres. Aquellos hombres eran quienes iban a ocuparse de mover la carga. Según nos dijeron, había que asegurar las cajas de una forma especial, a medida que se iban descargando de los camiones y se iban apilando en el barco. Eran unas cajas alargadas, de color verde, y en los costados llevaban unos letreros escritos en un idioma que ninguno pudimos entender. Rápidamente, la grúa del puerto fue sacándolas de los camiones y dejándolas sobre el Cormorán. A simple vista, no era un gran cargamento, pero a medida que las cajas llegaban y aquellos hombres silenciosos las iban colocando, el barco sobresalía cada vez menos del agua. Aunque al Cormorán le quedaba todavía mucho para verse apurado, aquella carga pesaba lo suyo. Mi padre seguía la operación desde el puente, y a su lado estaba Stefan, el segundo de a bordo. Ninguno de los dos hablaba. Los demás tripulantes observábamos desde popa. Stanislaw, el jefe de máquinas, que tenía un sentido del humor un tanto particular, le dijo a Mijaíl, el viejo cosaco:

—Mira, parecen ataúdes. A lo mejor llevamos a Nosfe-ratu.

A Mijaíl no le hizo ninguna gracia.

—No te rías tanto, mecánico idiota —le respondió—. Esos paisanos míos viajan en Mercedes. Quizá no sepas quiénes son los que viajan en Mercedes en Rusia.

El señor Oborniki, que en contra de lo acostumbrado había venido al puerto a presenciar los trabajos de carga, charlaba muy amigablemente con Yusúpov. Cada cierto tiempo mi padre se quedaba mirándolos a los dos con un gesto impenetrable. Estaba así durante un rato y después se volvía hacia la cubierta y también miraba con aquel gesto las cajas que iban bajando sobre ella.

Otro detalle extraño fue que Yusúpov y Róstov insistieron en pasar la noche en el barco, junto a la carga, y que también cinco de sus hombres se quedaron montando guardia en el muelle. Stanislaw opinó, a propósito de eso:

—Hasta ahora, sólo hemos debido transportar bobadas, porque nunca se había quedado nadie a vigilar el Cormorán. Un buen pico que debe llevarse por ésta Oborniki. A ver si se le afloja la bolsa y también hay una buena paga para la tripulación.

—Cuenta tú con ello —se burló Mijaíl—. Yo me conformo con volver. Ése es el mejor premio para el marinero, igual que para el cosaco: volver de la campaña.

A menudo, sería para que le creyéramos más de lo que le creíamos, Mijaíl citaba trozos de lo que según él era la filosofía cosaca de la vida. Entre todas aquellas frases, inventadas o verdaderas, tenía una preferida, que le valía casi para cualquier situación:

—Nunca importa lo ancha que sea la estepa, sino lo cansado que esté tu caballo.

Salimos de Varsovia un poco antes del amanecer, cuando el cielo empezaba a clarear sobre la ciudad. Todavía había luces en las riberas del Vístula. Mi padre, como siempre, dirigía la maniobra, y yo ayudaba a Jakub sobre cubierta. De cuando en cuando Jakub y yo nos volvíamos hacia proa, donde estaban Yusúpov y Róstov. Desde allí los dos admiraban la imagen del río y de aquella Varsovia todavía dormida, mientras los demás teníamos que esforzarnos con nuestras tareas. Podía comprenderles, naturalmente, porque era una gran sensación ir allí, en la proa, notando el avance del barco en el agua y viendo los edificios desfilando a los dos lados, como si le abrieran paso a uno. Róstov, el gordo, le cuchicheaba algo en ruso a Yusúpov, el moreno, y Yusúpov asentía con la cabeza y sonreía. A nadie le hacía ninguna gracia tener que llevar a aquellos dos hombres, que se movían por el barco como una especie de pasajeros de primera clase. Se veía de lejos que a bordo sólo consideraban digno de su trato al capitán; el resto de la tripulación era como si no existiera. Una de las peores cosas que pueden pasarle a la tripulación de un barco es emprender una travesía con gente a la que no se quiere a bordo. Un pasajero así, según la superstición de los marineros, no es sólo un contratiempo, sino una promesa de mala suerte, algo que perturba más que una vía de agua en el casco. Eso pensábamos todos, empezando por mi padre, al ver a Yusúpov y Róstov bromeando en la proa. Sin embargo, el que peor lo llevaba era Mijaíl. Mientras el Cormorán se aventuraba lentamente en el río, su aspecto era el del caballo cansado de su refrán cosaco. Cada vez, aseguraba, le costaba más alejarse de Varsovia, donde había decidido envejecer. Y aquél, se lo había anunciado a mi padre un par de días antes, era el último viaje que hacía. Por la forma en que miraba a Yusúpov y a Róstov, la misión le disgustaba como a ninguno. Era como si pensara que la presencia de aquellos hombres le estropeaba el adiós.

En la primera jornada de navegación debíamos cubrir la distancia entre Varsovia y Toruń, más de doscientos kilómetros. El Vístula, en esa zona, atraviesa grandes bosques y antiguas ciudades, y desde el mismo barco pueden verse iglesias levantadas hace muchos siglos y fortalezas en ruinas. Pasada la mitad del recorrido se cruza un lago bastante largo, que se llama el lago Włocławskie. Durante ese trecho, casi puedes hacerte la ilusión de que estás navegando por el mar. El día era bueno, y pronto, en cuanto quedó atrás el último barrio de Varsovia, se organizó a bordo la rutina de siempre, con la diferencia de que esta vez había dos intrusos que nos fastidiaban. Sin embargo, durante la mayor parte del tiempo se quedaron aparte, disfrutando del paisaje como inofensivos turistas. Cuando veían un castillo o llegábamos a una ciudad, Róstov, el gordo, sacaba una cámara japonesa diminuta y hacía un montón de fotos. A veces obligaba a posar a Yusúpov, que se ponía de mala gana para que el otro lo retratase delante de la orilla. Se gastaban muchas bromas en ruso, que no comprendíamos, salvo Mijaíl, que las escuchaba sin decir nada.

Por la tarde, después de la comida, y mientras los otros dormían la siesta, subí al puente con mi padre. Estaba solo, porque también Stefan se había ido a descansar un rato. Aunque Stefan era el segundo de a bordo y sentía la obligación de ser más responsable que el resto, mi padre, que nunca dormía siesta, le ordenaba que también él fuera a echarse. Stefan obedecía de mala gana, porque le parecía una especie de debilidad vergonzosa que el segundo de a bordo durmiera mientras el capitán seguía en su puesto; pero obedecía. En un barco, ninguna orden del capitán se discute. Si la discutes, es un motín.

En el puente, mi padre estaba siempre con la vista fija al frente. Por mucho que le hablaras, o aunque te hablase él, nunca dejaba de mirar al frente, incluso cuando cruzábamos un lago tranquilo, como aquella tarde, porque ya habíamos llegado al lago Włocławskie. En un segundo de distracción, solía decir, puedes perder el barco, la carga o las dos cosas. La carga no importa, porque va asegurada y *a su dueño no suele importarle más que el dinero que vale, que es lo que le pagará el seguro si se pierde. Tampoco el dueño del barco, que también suele tener seguro, pasará de llevarse un disgusto si el seguro le da el dinero que le costó. Pero el capitán no puede comprar su consuelo con dinero. Si un capitán pierde su barco, es peor que si pierde la vida.*

Eso decía, y por eso miraba al frente mi padre, cuando le pregunté:

—A ti tampoco te gustan los rusos, ¿verdad?

Mi padre tardó en contestarme.

—Nos pagan lo que es justo por llevar su mercancía a Gdańsk. El Cormorán sirve para llevar mercancías de un sitio a otro, y si no hubiera quien quisiera transportarlas y lo pagara, el señor Oborniki no ganaría dinero. Si el señor Oborniki no ganara dinero, vendería el barco, o lo mandaría al desguace. Entonces se acabaría el río para todos nosotros. No volveríamos a ver el sol dando en el agua como ahora. Mira.

A principios de abril, todavía oscurece temprano en Polonia. A aquella hora, el sol empezaba a ponerse al fondo del lago, que se había convertido de pronto en un espejo dorado con el reflejo. Aunque mi padre ya me había contestado, yo no lo entendía.

—¿Pero te gustan o no?

—No se trata de que me gusten. ¿Tenemos que llevarlos? Pues los llevamos. Uno no puede hacer siempre lo que le gusta.

—Eso quiere decir que no te gustan.

—Eso quiere decir que los llevamos y que no se habla más —zanjó el asunto.

Fue muy oportuno, porque en ese mismo momento entró Yusúpov. Venía muy sonriente, como solía cuando se encontraba con mi padre, y aunque no le dio una palmada en la espalda, porque debía echarle para atrás el hecho de que mi padre estuviera justo entonces a los mandos del barco, le saludó con toda su aparatosa simpatía:

—Vaya, vaya, cuánto bueno. Una tarde magnífica, ¿eh?

Mi padre no dijo nada. Se limitó a asentir, sin apartar la vista del frente. Si no lo había hecho por mí, menos iba a hacerlo por Yusúpov.

—¿Cómo vamos? —preguntó Yusúpov.

—Según lo previsto —contestó mi padre, secamente—. Dormiremos en Toruń. Salvo que tengan prisa. Si la tienen, podemos seguir navegando por la noche.

—No sé, no sé —dudó Yusúpov—. ¿Cuándo llegaríamos a Gdańsk?

—Con escala en Toruń, llegaremos mañana por la noche, contando con salir mañana tan temprano como hoy. Sin escala, llegaríamos alrededor del mediodía.

Yusúpov pensó durante unos segundos. Debía tener pros y contras, pero pesaban más los contras, porque acabó diciendo:

—Tampoco es necesario que se fatiguen tanto, para ganar sólo unas horas.

—No nos fatigamos —aclaró mi padre—. Si hay que llegar al mediodía, se llega. Usted decide si le interesa o no.

Yusúpov sonrió forzadamente.

—No, es igual, de veras. No hay que ir más rápido de lo debido, si no hay prisa por llegar. Ustedes tienen su recorrido habitual y nosotros no tenemos prisa.

—Como quiera —se desentendió mi padre, un poco cansado.

—Hay una cosa... —volvió a la carga Yusúpov.

—Qué.

—No, nada, una curiosidad. Una tontería, más bien, pero no me quedo con las ganas de preguntársela. Se va a reír.

—Eso lo veré cuando me lo pregunte.

—Claro, tiene razón. El caso es que me preguntaba si

un barco como éste puede, en fin, si sería posible salir con él al mar.

—¿Quiere salir con él al mar?

—No, no, de ninguna manera. Es sólo una...

—Mejor —le cortó mi padre—. Mi compromiso es hasta Gdańsk y allí dejaremos su carga.

—Sólo es —insistió Yusúpov—, cómo decirle, una cuestión teórica. ¿Podría o no podría hacerse a la mar este barco? Que conste, de verdad, que ni se me ha pasado por la mente pedírselo, es sólo, bueno, por saber.

Mi padre se volvió hacia Yusúpov una décima de segundo. Sólo eso. Cuando habló, tenía ya otra vez la vista puesta al frente.

—No me interesan las cuestiones teóricas, señor Yusúpov. Yo resuelvo problemas prácticos. Pero ya que le veo a usted tan preocupado, este barco ha sido construido para navegar por el río. Desde luego, puede meterlo en el mar y flotará, porque en el agua salada se flota mejor que en el agua dulce. Cosa distinta es que pueda desenvolverse bien si tiene el más mínimo problema. Los peligros del mar no son los peligros del río. Si quiere una respuesta más clara, puede estar seguro de que sería una verdadera imprudencia meter este barco en el mar. ¿Queda con eso resuelta su duda?

—Bien, supongo que sí, desde luego. Comprenda, es la simple curiosidad de un ignorante en materia de barcos.

Yusúpov hablaba relativamente bien el polaco, pero al llamarse a sí mismo ignorante quedó bastante ridículo. Mi padre lo aprovechó:

—Usted lo dice. Y por cierto. No tengo ningún inconveniente en que viajen en el barco, si no quieren separarse de la carga, pero el puente no es lugar para ustedes. No quiero parecer brusco, pero aquí no estamos para dar conversación a los pasajeros. Nos veremos a la hora de la cena. Hasta entonces, le ruego que nos deje trabajar.

A Yusúpov, se notó perfectamente, no le sentó nada bien que mi padre le echara. Así y todo, se sintió obligado a disimularlo:

—Por supuesto, discúlpeme. No he querido entorpecer.

Antes de irse, me miró a mí, y en un movimiento que no pude esquivar a tiempo, me revolvió el pelo. Me reventó que lo hiciera, pero él, riendo, dijo:

—Vaya chaval tan serio. Dentro de unos años seguro que tú también eres capitán de un barco, como tu papá, ¿a que sí?

No supe qué me molestaba más, si que me hubiera tocado el pelo o si que me hablara como si fuera imbécil. Habría querido insultarle, pero sólo le dije:

—No es mi «papá». Es mi padre.

Yusúpov salió del puente riéndose y mascullando algo en ruso. Cuando ya se había ido, quise confirmar lo que ya me sospechaba, que a mi padre Yusúpov le ponía tan enfermo como a mí. Pero antes de que pudiera abrir la boca, me ordenó:

—Ve a avisar a Stefan. Y que los demás se pongan también en marcha. Habrá que estar preparados para cuando lleguemos a Toruń.

Fui, sin rechistar, porque en ese momento no era mi padre, sino el capitán del barco, a quien el último de los marineros, que eso era yo, le debía obediencia ciega. Fui a buscar a Stefan y a sacudir a Jan y Jakub. Stanislaw ya estaba encima de las máquinas, comprobando que todo iba como debía. Mijaíl, que se había quedado sobre cubierta, volvía a observar a Yusúpov y a Róstov, que se habían reunido de nuevo en proa y charlaban animadamente. Sus siluetas negras se recortaban sobre el atardecer. Le pregunté a Mijaíl:

—¿Qué es lo que hablan?

—No lo oigo todo —contestó Mijaíl—. Ya estoy viejo y mis oídos no son lo que eran. Cojo palabras sueltas. A veces hablan de la carga y de un tal Dobrinin, que debe ser alguien importante para ellos. El resto del tiempo no hablan de nada, tonterías para matar el aburrimiento. Creo que, de los dos, el jefe es Yusúpov.

—Seguro —aposté—. Ha venido al puente a hablar con el capitán, sobre el viaje. También quería saber si el Cormorán puede navegar por el mar.

Cuando estaba en el barco yo nunca decía «mi padre», sino «el capitán». Mijaíl me escuchó atentamente y asintió en silencio.

Cuando llegamos a Toruń ya había anochecido. El único que bajó a tierra a pasar la noche fue Stanislaw, que tenía allí familia y solía hacerlo siempre. Los demás nos quedamos en el Cormorán, que se mecía suavemente mientras la corriente del Vístula acariciaba la orilla. A medianoche, como no podía dormir bien, salí un rato a cubierta. Yusúpov y Róstov estaban allí, sentados sobre sus cajas, fumando a la luz de la luna. Seguían con sus chistes y sus conspiraciones en ruso. Me fui a esconder en la lancha salvavidas, pero cuando iba a meterme en ella descubrí a Mijaíl.

—Chssst —me detuvo—. Vuelve a acostarte.

—¿Has oído algo?

—Vuelve a acostarte —repitió—. Ya vigilo yo.

Hice lo que me mandaba. Para el viejo cosaco, si alguna vez lo había sido, todavía no era demasiado ancha la estepa. Aunque tuviera el pelo gris, las espaldas un poco dobladas y la frente llena de arrugas, su caballo todavía no estaba lo bastante cansado.

11

Las reglas del ajedrez

Cuando me desperté, fui a buscar a Mijaíl. No había bajado al compartimento de la tripulación, pero tampoco estaba ya en la lancha salvavidas. No me extrañó, porque Yusúpov y Róstov roncaban en su camarote. Le encontré en el puente, hablando con mi padre. Cuando me vio aparecer allí, mi padre me recibió ásperamente:

—¿Qué quieres?

—Buscaba a Mijaíl —me disculpé.

—Ahora sale.

No necesitaba más para darme cuenta de que el capitán quería que fuera yo quien saliera inmediatamente. Eso hice. Estaba amaneciendo ya en Toruń, y mientras esperaba sobre cubierta, me llamó la atención una iglesia roja que está cerca de la orilla del río, más allá de las antiguas murallas. Stanislaw me dijo luego que a aquella iglesia los de Toruń la llamaban de San Juan. Después de un cuarto de hora de acalorada discusión con Mijaíl, mi padre se asomó y me dio una orden:

—Avisa a todos. Nos ponemos en marcha dentro de cinco minutos.

Un momento después, Mijaíl salía del puente, con la cabeza baja y el gesto avinagrado. Fui a su encuentro, ansioso.

—¿Averiguaste algo?

Mijaíl meneó la cabeza.

—Según el capitán, no.

—¿Qué quiere decir eso? ¿Escuchaste algo, sí o no?

—Lo siento mucho, Andrzej. Las órdenes del capitán son que me olvide, así que ya he olvidado lo que escuché. Mejor dicho: no he escuchado nada.

—No puedes dejarme así —protesté.

Mijaíl me apreciaba. Solía afirmar que nunca había tenido un discípulo tan atento, ni a la hora de luchar ni a la de aprender las labores del barco. Por eso no me dejó en aquella duda, pero tampoco se atrevió a llevarle la contraria a su capitán.

—Les he oído hablar de algo que llamaban «la operación». Algo que tenía que ser rápido y limpio. Tu padre cree que se refiere a algo que harán cuando hayamos desembarcado su mercancía, y dice que eso ya no es asunto nuestro. Me cuesta admitirlo, porque esos dos hombres no me caen bien, pero seguramente tu padre tiene razón. Así que yo lo olvido y tú también lo olvidas. Y si se lo cuentas a alguien te tiro por la borda. ¿Entendido?

Mijaíl nunca me habría tirado por la borda, pero entendí lo que quería transmitirme. Aquello era un secreto absoluto. Nada de confidencias con Jan o con Jakub o con cualquier otro miembro de la tripulación.

Esa mañana, una vez que salimos de nuevo al Vístula y el barco se situó sobre su ruta, Mijaíl dedicó un rato a enseñarnos a jugar al ajedrez. Los tres sabíamos mover las piezas y creíamos que saber jugar al ajedrez era eso, pero Mijaíl nos hizo tres exhibiciones consecutivas, derrotándonos a Jan, a Jakub y a mí en un abrir y cerrar de ojos. Jakub, que era el más listo para los juegos y también el más nervioso, fue el último en caer, y cuando Mijaíl le dio jaque mate se puso furioso por la facilidad con que el viejo cosaco le había vencido. Observaba fijamente el tablero y se rompía la cabeza para averiguar en qué se había equivocado. Mijaíl, viendo sus apuros, le consoló:

—Yo no soy un gran jugador. En realidad, para serlo hay que saberse de memoria una gran cantidad de maniobras: aperturas, posiciones intermedias, finales de partida. Hacen falta años para estudiar todos los trucos. Yo no he estudiado tanto ni sé nada de eso, pero te he ganado porque sé dos reglas elementales que tú no sabes.

Jakub, al oír hablar de aquellas dos reglas desconocidas, se puso en guardia.

—Una —dijo Mijaíl—. Los peones propios se defienden con el mismo empeño que el alfil o la reina, y los ajenos se atacan igual. Tú mandas tus peones al combate y los dejas a su suerte, desprotegidos. El adversario te los come y cuando quieres darte cuenta ni tus alfiles ni tus caballos pueden moverse, pero no por el acoso de los alfiles o los caballos del enemigo, sino por sus peones, de los que no te has preocupado en toda la partida. Lo que significa: cuida al amigo pequeño y ten cuidado con el enemigo pequeño.

Jakub repasó lo que había hecho: al lado del tablero, junto al resto de las piezas comidas, había cinco peones blancos y uno negro. Jakub jugaba con las blancas.

—Dos —siguió Mijaíl—. El resultado del juego se decide en los cuatro cuadros del centro. Quien pone sus piezas en el centro y las mantiene ahí, le quita todas las oportunidades al rival. Y al revés: quien no procura ocupar el centro, ya puede tener un cerebro privilegiado, que necesitará tener además enfrente al más tonto de los contrincantes para ganarle. Lo que significa: en mitad de la batalla, lo más importante es mantenerte en tu sitio.

Otra vez Jakub miró el tablero. De las cuatro casillas del centro, una estaba vacía. Las otras tres las ocupaban piezas negras.

Mijaíl le tendió la mano, sonriente, y Jakub, admirado, se la estrechó.

—Estas dos reglas elementales del ajedrez valen también para la vida —dijo Mijaíl—. El ajedrez sólo es un juego sin importancia, pero la vida es el Juego, con mayúsculas. Puedes jugar al ajedrez como te dé la gana, pero no puedes vivir de cualquier manera. Una partida perdida la olvidas en seguida. Una vida malgastada te duele siempre.

Mijaíl nunca nos había hablado así. Podía ser, desde luego, porque aquél era su último viaje a bordo del Cormorán y porque eso le volvía más solemne y sentimental. También era posible que sintiera de pronto nostalgia de esa estepa por la que nunca había cabalgado, como sugería Stanislaw, bastante maliciosamente. Pero preferí pensar que las palabras de Mijaíl tenían otra intención. Mientras hablaba de los amigos pequeños, tuve el presentimiento de que era justo de nosotros tres, de Jan, de Jakub y de mí, de quienes estaba hablando. Nosotros éramos los peones del Cormorán, a fin de cuentas. Y cuando escuché lo de mantenerse en el sitio de uno, no pude evitar acordarme de cómo había salido después de hablar con mi padre, arrepentido de haber discutido con el capitán y dispuesto a conformarse con su criterio, aunque estaba muy claro que no lo compartía.

¿Qué era lo que quería decir Mijaíl? No lo supe entonces, pero sí sospeché que tenía que ver con aquel viaje, con los rusos y su misteriosa mercancía, con el Cormorán y con todos nosotros. Y ya verás, Laura, cuánto tuvo que ver al final. Porque hay algo más que tengo que contarte ahora. Una tarde, mientras Jan y Jakub dormían, Mijaíl me había hecho una increíble revelación: a veces, tenía el don de adivinar el porvenir. No era como la gente se cree cuando va a un adivino, porque no sabía exactamente qué o cómo iba a pasar, pero sí sabía que iba a pasar algo, y también a quién iba a pasarle. Tengo que reconocer que cuando lo oí me pareció, simplemente, que aquélla era la más fantástica de todas las patrañas que Mijaíl había contado nunca, y que bien poca estima debía tenerme, en el fondo, cuando era a *mí solo a quien intentaba hacérsela tragar. Ahora, cuando recuerdo ese viaje en el que iba a decidirse el destino de todos nosotros, y cuando repaso todo lo que Mijaíl hizo y dijo en esos dos días, no tengo más remedio que arrepentirme de mi desconfianza. Mijaíl ya sabía que algo iba a pasar y a quién iba a pasarle.*

Aquel segundo día de navegación debíamos seguir el río con rumbo oeste durante treinta o cuarenta kilómetros. Después el Vístula da una gran curva y gira hacia el norte, hacia Gdańsk y el Báltico, adonde llegaríamos al final de la jornada. En realidad, no es en la propia Gdańsk donde desemboca el río, sino en un gran delta que está justo al lado. Nosotros cogeríamos el brazo de la izquierda de ese delta, que se llama el Vístula Muerto y termina llevando hasta el puerto donde teníamos que descargar la mercancía. Ya lo habíamos hecho otras veces, pero a mí siempre me resultaba muy emocionante llegar a ese puerto, en el corazón mismo de Gdańsk, todo lleno de astilleros y de grúas y de barcos enormes que dejaban al Cormorán *tan pequeño que casi habría dado risa, si no hubiera sido nuestro barco y por tanto algo de lo que nunca podríamos reírnos.*

Yusúpov y Róstov volvieron a aparecer por la cubierta a eso de la una, a tiempo para almorzar. Habían pasado casi toda la noche en vela, según Mijaíl, y las cinco o seis horas de sueño que se habían dado después no habían sido suficientes para hacer desaparecer el cansancio de sus caras. A pesar de todo, Yusúpov seguía de buen humor y, al pasar junto a Mijaíl, que andaba ordenando unas herramientas, comentó en son de burla:

—Espero que no se haya roto nada mientras dormíamos.

Era la primera vez que Yusúpov se dignaba hablar con un miembro de la tripulación que no fuera el capitán. Mijaíl levantó la cara hacia él y le contestó muy amablemente:

—Todo está en perfecto orden, señor cholernik.

—¿Cómo dice?

—Que el barco funciona perfectamente.

La palabra que había dicho Mijaíl y que el ruso no había entendido, es un insulto polaco bastante fuerte, que no debes decirle a nadie, salvo que quieras que se enfade contigo. Mijaíl no podía usar con los pasajeros sus palabrotas rusas, así que echaba mano de las polacas, que también hay unas pocas y Mijaíl las conocía bien. Yusúpov se olió algo, pero comprendió que a Mijaíl no iba a sacarle de la sonrisa boba que le había puesto. Olvidó el asunto y fue en busca de mi padre. Antes de entrar en el puente, pidió permiso:

—¿Puedo molestarle un minuto?

—Sí, si es sólo un minuto —advirtió mi padre.

—Me gustaría preguntarle a qué hora llegaremos a Gdańsk.

Yusúpov, desde el incidente del día anterior, se había vuelto más grave y prudente en el trato con mi padre. Cuando estaba con Róstov, por el contrario, seguía soltando unas risotadas ruidosas que a todos nos ponían de mal humor.

—Llegaremos entre las siete y media y las ocho, si nada se tuerce —dijo mi padre.

—Muy bien —dijo Yusúpov, mientras se sacaba del bolsillo de la cazadora un teléfono móvil y le desplegaba la antena con los dientes—. Llamaré a nuestra gente de Gdańsk para que lo tengan todo preparado en el muelle a esa hora.

Mi padre no hizo ninguna observación a las palabras de Yusúpov, aunque sin duda se alegraba de que estuviera más cerca el momento de librarse de él y de Róstov. El momento de perder de vista sus cajas verdes y poder devolver el Cormorán a Varsovia.

Yusúpov salió a cubierta con su teléfono móvil. En unos pocos segundos podía oírsele en todo el barco, dando mil instrucciones en ruso a quienquiera que tuviera al otro lado del aparato. Al escuchar aquellos gritos, Mijaíl puso toda su atención.

—No se imagina que alguno de nosotros pueda entenderle —dijo cuando Yusúpov cortó la comunicación y fue junto a Róstov.

—¿Por qué? —pregunté.

—Nos ha llamado «los siete cerditos». Bueno, el equivalente en ruso.

—Vamos, Mijaíl, no seas tan susceptible —le picó Stanislaw, que andaba por allí cerca—. ¿Estás seguro de que entiendes esa lengua?

—Claro que la entiendo —y añadió una de sus palabrotas rusas, bajando la voz lo suficiente para que le llegara a Stanislaw, pero no a Yusúpov ni a Róstov.

—¿Y qué más ha dicho?

—No consigo interpretarlo, aunque conozco las palabras. Es una especie de lenguaje idiota, así que me imagino que hablan en clave. Dice cosas como que no hay ningún problema para «montar en la pluma del cisne» o que «los cocodrilos se despiertan limpios y en la selva». Lo único que he cogido es lo de los siete cerditos, porque somos justo eso, siete, y porque además la frase tenía toda la pinta de referirse a nosotros.

—¿Por qué? ¿Cómo era la frase?

—«Los siete cerditos están ocupados con su pocilguita.»

—Ahora comprendo, Mijaíl —dijo Stanislaw, muy serio—. Propongo pedirle al capitán permiso para arrojar a esos dos facinerosos por la borda de la pocilguita, y en vez de salvavidas tirarles en la cabeza sus malditas cajas verdes, a ver si consiguen que floten. Antes podemos quitarle la cámara al gordo, para sacarles fotos mientras chapotean.

Jan, que se había acercado tras Stanislaw, preguntó, desorientado:

—¿Qué pasa?

—Nada —dijo de pronto Mijaíl, con su tono más enérgico—. A nosotros no nos gustan ellos, ¿no? Pues no hay que extrañarse de que tampoco nosotros les gustemos mucho. Todas estas cosas son siempre recíprocas. En realidad, no vamos a ir nunca a un baile juntos. Dentro de unas horas los dejamos en Gdańsk y los olvidamos. Si luego el cocodrilo se come al cisne o el cisne se come al cocodrilo, a nosotros nos trae al fresco. Una vez que esos dos y sus cajas estén en el muelle, los cerditos se vuelven a casa.

—¿Qué cerditos? —saltó Jan, que no comprendía nada.

Mijaíl echó a andar por cubierta, sin contestarle. Stanislaw estaba enfurecido:

—Insisto. No sé por qué tenemos que soportar que nos insulten. Aunque sea en ruso.

—Pregúntale al capitán —le cortó Mijaíl—. Te dará una buena razón. Los rusos te están pagando tu sueldo, mecánico irresponsable. Oborniki, el dueño de esta pocilguita, quiere que las cajas lleguen a Gdańsk. Y nuestra misión en la vida es hacer feliz a Oborniki.

Lo dijo sin ironía, repitiendo para Stanislaw, resumidos a su manera, los argumentos que debía haberle dado mi padre por la mañana. En ese momento creí que Mijaíl habría podido intentar hablar con mi padre otra vez. Luego creí, además, que si lo hubiera hecho no habría pasado lo que pasó. Pero Mijaíl no quería tener una segunda discusión con el capitán, a quien debía obedecer y no contradecir. Por fea que se pusiera la partida, aplicaba la segunda regla del ajedrez: manténte en tu sitio. A pesar de todo, cuando observaba a Yusúpov y a Róstov, cómodamente recostados entre los bultos, se veía que seguía esperando a que se cumplieran sus malos presagios.

Por la tarde, mi padre me permitió quedarme con él y con Stefan en el puente. Stefan guiaba el barco y eso en teoría favorecía que mi padre se mostrara más conversador, porque no tenía que ir tan concentrado. Pero aquella tarde apenas cruzamos palabra. Mi padre estaba absorto en preocupaciones que no quería o no podía compartir con nadie.

Al final no pude aguantarme más y me salté todas las normas de la disciplina:

—Creo que Mijaíl tiene razón en lo de los rusos —dije.

Esperaba que mi padre se enfadara, pero no se enfadó. Tenía cara de cansancio. Se frotó los ojos muy despacio y se limitó a contestar:

—También la tengo yo. Sólo llevamos un barco de carga, río arriba y río abajo. No podemos arreglar el mundo, aunque le apetezca a Mijaíl o te apetezca a ti.

—Deberíamos abrir las cajas.

—El señor Oborniki hizo todas las comprobaciones: en las cajas hay máquinas de precisión. Eso pone en la carta de embarque y eso es lo que tenemos que creer.

—Yusúpov y el otro son dos canallas —me desahogué.

—Si lo son, ya llevarán su justo pago —mi padre sonrió, con aquella exquisita paciencia que me estaba demostrando—. Se lo darán otros canallas, seguramente. Casi siempre los canallas se arreglan entre ellos mismos.

Al fin llegamos al delta del Vístula y Stefan metió el barco por el brazo del Vístula Muerto, o lo que es lo mismo, por el que conduce hasta Gdańsk. Ya era de noche cuando entramos en la ciudad y el **Cormorán** buscó su camino entre los grandes barcos amarrados a los muelles. Los dos rusos, por la forma en que miraban todo, nunca habían entrado antes en aquel puerto inmenso. El aire del mar llegaba hasta allí, con su olor a pescado y a sal. También estaba bastante frío, como lo está siempre el Báltico. Después de la larga monotonía del río, la entrada en el puerto iluminado y la cercanía del mar nos impresionaban a todos, incluso al escéptico Mijaíl. Además, allí terminaba el viaje. La sensación que da llegar a puerto después de un viaje en barco no se parece a la sensación que da llegar a cualquier otro sitio en cualquier otra cosa.

Stefan inició la maniobra para acercar el barco al muelle que le correspondía. Desde el puente, vimos a la gente que nos esperaba. Eran nueve o diez hombres, y tras ellos había un Mercedes negro y reluciente como el que había traído a Yusúpov y a Róstov al puerto de Varsovia, el día de nuestra partida. Sin embargo, no había camiones para llevarse las cajas. Eso me chocó, pero tuve que olvidarme de mis cavilaciones porque el deber me reclamaba abajo, para ayudar al amarre del Cormorán.

Stefan arrimó suavemente el costado del barco al muelle. El muelle resultaba un poco alto para un barco de río como el Cormorán. Echamos los cabos a los hombres que había en tierra. Iban todos vestidos de negro: jerséis negros, pantalones negros, gorros negros. Aquellos hombres enlutados empezaron a amarrar los cabos, pero en seguida vimos que no los aseguraban como debían. Más bien parecía que se limitaban a sujetarlos un poco. Mijaíl, que no perdía detalle de lo que hacían, les gritó:

—¿Dónde habéis aprendido a amarrar un barco?

No le respondieron. En cuanto el barco se colocó lo bastante cerca del muelle, cinco hombres saltaron a bordo, esquivándonos por pelos a quienes estábamos sobre cubierta.

—Eh, qué demonios... —protestó Mijaíl.

En un impulso, me volví para buscar a Yusúpov y a Róstov. No estaban. Cuando miré otra vez al frente, vi que uno de los hombres venía hacia mí y que otro había hecho callar a Mijaíl. Vi también con qué le había hecho callar: en sus manos brillaba, aunque muy poco, una de esas metralletas pequeñas que disparan cientos de balas por minuto. El hombre que ahora estaba a mi lado llevaba otra y me empujó con ella.

—¿Adónde? —dije, aturdido.

Con eso sólo conseguí una parrafada en ruso y otro empujón, más fuerte. Al fin comprendí que quería que fuera hacia el puente. Le obedecí y medio minuto después me reuní allí con el resto de la tripulación. Dos de los cinco hombres que habían saltado a bordo tenían encañonados con sus metralletas a Mijaíl, Stanislaw, Jan y Jakub. Róstov estaba apuntando a mi padre con un revólver. Yusúpov, que también tenía otro revólver en la mano, estaba junto a Stefan, que no había soltado el timón. Después de dejarme con los demás, el hombre que me había llevado hasta el puente volvió a cubierta. Allí ayudó a los otros dos a recoger los cabos que les devolvían desde el muelle. Terminada esa operación, Yusúpov señaló con el dedo hacia adelante y ordenó fríamente a Stefan:

—Y ahora, al mar.

12

Riga, en Letonia

S tefan guió temerosamente el Cormorán por las negras
aguas del puerto de Gdańsk, mientras aquellos hombres
nos mantenían a los demás encañonados con sus armas.
Uno de los que se habían quedado sobre cubierta, durante
la toma del barco, entró en el puente al poco rato de retirar-
nos del muelle. Yusúpov le saludó y cambiaron algunas palabras en ruso. Después, el recién llegado se dirigió a mi
padre:

—¿Es usted el capitán?

Mi padre no contestó. Yusúpov lo hizo por él.

—Sí, es él.

—Encantado —dijo el nuevo—. Me llamo Dobrinin y
a partir de ahora estoy al frente de esto.

—¿Y qué es esto? —preguntó mi padre, que seguía bajo
la vigilancia de Róstov.

—Le informaré de lo que puedo informarle cuando hayamos salido a mar abierto. Ahora tengo que rogarles que
acompañen a mis hombres a sus camarotes, donde estarán
hasta nueva orden. Usted se queda —le dijo a Stefan—; necesitamos un piloto. Los demás vayan tranquilos. No tenemos ningún interés en hacerles daño y no se lo haremos si
se portan bien.

Con suaves empujones de sus metralletas nos sacaron de allí a todos, a excepción de Stefan. El Cormorán, lento pero imparable, avanzaba por el canal que llevaba hacia la salida del puerto y el Báltico. Cuando llegamos abajo, al compartimento de la tripulación, mi padre se encaró con Yusúpov.

—Lo que hacen es una locura. Le he advertido. No deben meter el barco en el mar.

Yusúpov sonrió silenciosamente.

—Pues vamos a meterlo —anunció—, y no un poco.

—Nos detendrán a la salida del puerto.

—Podemos apostar, capitán. Yo creo que nadie va a detener este barco tan pequeño.

—Stefan nunca ha llevado un barco por el mar —intentó mi padre, a la desesperada.

—No le costará. Es mucho más ancho que el río. Pierda cuidado, capitán. Y no armen alboroto. No debemos llamar la atención mientras salimos.

Recorrimos el último tramo del canal, hasta el estrecho paso donde terminaba el Vístula Muerto y empezaba el Báltico. El Cormorán surcó deprisa aquellos metros finales y entró en el mar sin contemplaciones. La brisa marina se infiltraba ahora hasta el último rincón y en unos pocos minutos, los que tardamos en salir del abrigo del puerto, sentimos también el movimiento de aquellas aguas, tan diferente del movimiento del Vístula. Por fortuna, el mar estaba sereno. Otra sensación era el frío, que rápidamente nos iba calando. Desde donde estábamos, tras los dos hombres que nos vigilaban, podíamos ver la costa de Gdańsk, que se alejaba poco a poco. Como había apostado Yusúpov, nadie nos salió al paso. El Cormorán se escurrió mar adentro con la misma limpieza con que lo habría hecho el pájaro del que llevaba el nombre, y mientras Polonia y cualquier posibilidad de ayuda quedaban atrás, toda la tripulación callaba. Mi padre estaba hundido en sus pensamientos, que debían ser de culpa *por no haber querido ver lo que Mijaíl le había advertido. Mijaíl miraba el techo con amargura, lamentando en el fondo de su corazón haber acertado en aquellas sospechas que había tenido desde el principio acerca de los rusos. Jan no salía de su asombro y Jakub observaba con un odio imposible de disimular a los que nos apuntaban. Stanislaw, rompiendo aquel mutismo, trató de levantarnos el ánimo:*

—*Recuérdame que nunca vuelva a reírme de ti, camarada Mijaíl. Por cierto, ¿también aciertas números de la lotería?*

—*¿Cómo puedes ser tan imbécil como para pensar ahora en la lotería?* —*gruñó Mijaíl.*

—*De algo tendremos que comer, si los russkis hunden el barco jugando a los piratas.*

—*Cállate, Stanislaw* —*le pidió mi padre. En condiciones normales le habría echado toda una bronca, porque si hay algo con lo que no se bromea nunca es sobre la posibilidad de que el barco se hunda. Pero se lo dijo sin fuerza, tan abatido estaba.*

En eso, volvió Yusúpov. Venía jugueteando con el revólver y silbando una canción.

—*Andando, capitán. El jefe quiere verte* —*y con una mueca malvada, añadió*—: *Ya te dije que pasaríamos sin problemas. Me debes una.*

Mi padre se puso en pie y salió del compartimento. Entonces, Yusúpov me señaló con el dedo y me hizo seña de que me levantara.

—*A ti también quiere verte, valiente grumete.*

—*Dejen al chico en paz* —*protestó mi padre*—. *¿Qué tontería es ésta?*

—*No lo sé* —*se encogió de hombros Yusúpov*—. *Pero lo manda el jefe. Mejor que lo aceptes sin ponerte histérico, capitán.*

Obedecí. Escoltados por Yusúpov y uno de los hombres, fuimos hasta el puente. Allí estaban Stefan, agarrotado so-

bre el timón, Róstov, sentado en una silla, y Dobrinin, con los brazos en jarras y la mirada clavada en el horizonte del Báltico, plateado y azul bajo la luz de la luna. Cuando nos vio, salió de su ensimismamiento.

—Bienvenido, capitán. Y tú también, chico. Todo ha salido estupendamente. Su piloto Stefan ha demostrado una gran sangre fría.

Stefan estaba pálido. Parecía que fuera a desmayarse de un momento a otro.

—¿Adónde vamos? —preguntó mi padre.

—Ahora ya puedo decírselo. Vamos a Riga, en Letonia.

—¿A Riga? ¿Nada menos que a Riga? Han perdido el juicio. Para empezar, no tenemos combustible suficiente.

—Está previsto. Dentro de media hora, más o menos, nos encontraremos con unos socios. Se llevarán la mitad del cargamento y nos llenarán los tanques de combustible.

—Este barco no sirve para el mar —siguió mi padre.

—Puede que no sirva. Pero aquí estamos, manteniendo el rumbo y la velocidad —dijo Dobrinin. Por el momento, su argumento era contundente.

—El mar no se va a quedar así de quieto todo el tiempo. Y no tenemos los instrumentos de navegación que hacen falta.

—Navegaremos siempre con la costa a la vista. Así, no necesitamos instrumentos. Y el pronóstico del tiempo es bueno para las próximas setenta y dos horas. Antes de tres días estaremos en Riga, se lo aseguro. Ya hemos hecho otras veces el viaje.

Mi padre se rindió.

—¿Para qué me ha hecho subir?

Dobrinin volvió de nuevo la vista hacia el mar. Era más joven que Yusúpov y que Róstov. Tenía los ojos de color gris claro, como la luz de luna que había esa noche, y nada de barba en las mejillas. Su cara parecía la de un niño, pero era alto y fuerte.

—*Quiero que releve a Stefan* —*dijo, sin mirar a mi padre*—. *Dice que ha estado toda la tarde al timón. Necesito a alguien fresco para llevar el barco esta noche.*

Dobrinin hizo una pausa, mientras consultaba su reloj.

—*Además* —*continuó*—, *quiero que ordene a sus hombres que colaboren en todo lo que les pidamos para que el barco pueda llegar a Riga.*

—*¿Para qué? ¿Qué será de nosotros en Riga, si llegamos alguna vez?*

—*No tenga prisa, capitán. En Riga le seguiré informando.*

—*Comprendo* —*se resignó mi padre*—. *¿Me deja entonces volver a bajar, para hablar con mis hombres y contarles lo que hay?*

—*Que se lo cuente el chico. ¿Cómo te llamas, chico?*

No le respondí, aunque confieso que aquella cara, en lo alto del corpachón de Dobrinin, intimidaba bastante. Callar era la única forma que se me ocurría de resistirle.

—*Déjele en paz, Dobrinin* —*trató de protegerme mi padre.*

—*Se llama Andrzej* —*contestó por mí Róstov.*

—*Andrzej* —*repitió Dobrinin*—. *Te he hecho subir para que les transmitas a los otros las órdenes de tu padre. También* —*carraspeó*— *porque quería saber si tienes miedo.*

Era curioso que Dobrinin mencionara el asunto. Desde luego, no iba a darle el gusto de dejarle pensar aquello, aunque tuviera que arriesgarme a hablar.

—*Miedo de qué* —*dije, de la forma más antipática que pude.*

—*Buena respuesta* —*aprobó Dobrinin*—. *Me alegro de que no tengas miedo. Porque jamás permitiría que nadie te hiciera daño. Quiero que lo sepas. Yo, Dobrinin, te tomo bajo mi personal y directa protección. Si alguno de éstos te molesta, me lo dices y lo echo al mar. No nos dedicamos a asustar a los niños.*

—Mejor. Así no pierden el tiempo. No soy un niño —le desafié.

Dobrinin soltó una risa un poco chillona.

—Este chico tiene madera, ya lo creo. Róstov, deberías aprender de él. Y dime, Andrzej, ¿es la primera vez que navegas con tu padre?

—No.

—¿La primera vez que navegas por el mar?

—No —mentí, y él lo notó.

—Está bien —Dobrinin, compasivo, suspendió el interrogatorio—. Capitán, dígale a su hijo lo que tiene que decirles a los demás y tome el timón. Stefan, muchas gracias. Mañana volveremos a necesitarte. Te aconsejo que procures descansar todo lo que puedas.

Minutos después, a Stefan y a mí nos llevaron con el resto. Les contamos adónde íbamos y lo que el capitán ordenaba, que no opusiéramos ninguna resistencia.

—¿Y con qué íbamos a resistirnos? —bromeó Stanislaw.

—Riga es Rusia, ¿no? Debe estar una barbaridad de lejos —dijo Jan.

—No es Rusia —le corrigió Mijaíl—. Es Letonia. Y está a unas quinientas millas, hacia el nordeste. Hay que subir toda la costa, pasar un estrecho y entrar en un gran golfo que se llama el Golfo de Riga, precisamente.

—¿Lo conoces?

—La última vez que estuve allí fue hace treinta años. Lo que son las cosas —suspiró Mijaíl—. Nunca pensé que volvería.

Poco más tarde, tal y como Dobrinin le había anticipado a mi padre, nos encontramos con otro barco. Era un barco bastante más grande que el **Cormorán** y tenía una grúa en popa. Con ella fueron retirando una buena parte de nuestro cargamento y cuando acabaron nos dejaron a bordo algunas provisiones. También nos echaron una manguera con la que los hombres de negro se ocuparon de rellenar los depósitos de combustible. *La operación fue rápida y cuando terminó, Dobrinin, desde cubierta, le hizo la señal de la victoria a un hombre con barba negra que parecía ser el capitán del otro barco. Tras eso los dos barcos se separaron y el* Cormorán, *ahora con menos peso, reanudó a buena marcha su ruta hacia el norte. Esa noche, antes de dormirnos, Mijaíl me dijo:*

—*Tenemos que pensar, Andrzej. Algo tenemos que poder hacer.*

—*¿El qué? Ellos son siete, como nosotros. Pero todos llevan armas y ninguno de nosotros tiene con qué defenderse.*

—*Claro que tenemos con qué defendernos* —*se opuso, ofendido. Y señalándose la frente, explicó*—: *Con esto.*

Esa noche, no fue Mijaíl el único a quien le costó dormirse. Por la mañana, la luz y las voces de nuestros secuestradores nos sacaron del sueño en el que tanto habíamos tardado en caer. Después de darnos de desayunar, nos dejaron salir a cubierta, para estirar las piernas y también para que pusiéramos en orden lo que quedaba de la carga. Era un día bastante lúgubre. Después de dos días despejados, allá en Polonia, que ahora nos parecía al otro lado del mundo, el Báltico nos recibía con una mañana nublada en la que el mar no tenía una gota de azul. Seguía estando más o menos en calma, aunque en la distancia se veían pequeños rizos blancos en las crestas de las olas.

Dobrinin y Yusúpov casi no salían del puente. Incluso habían improvisado allí una cama, sobre la que dormían por turnos. Por la mañana, Stefan relevó a mi padre. El capitán no quiso cambiar palabra con ningún miembro de la tripulación. Se fue cabizbajo al camarote y allí cayó rendido sobre una litera cualquiera. En cuanto a Róstov, entraba y salía con frecuencia del puente, pero la mayor parte del tiempo se la pasaba tumbado en proa, el lugar del barco que se había reservado para su disfrute desde el principio del viaje. Allí, en proa, había siempre un centinela armado, igual que en la zona de popa. Cuando los miembros de la tripulación estábamos en cubierta, otro centinela iba y venía entre nosotros. Cuando nos encerraban en nuestro compartimento, ese centinela se apostaba a la entrada. De esa forma, siempre tenían un hombre de reserva.

—No hay nada que hacer —le dije a Mijaíl.

—Vamos —se rió el viejo cosaco—. Eso es como decir que quien lleva las negras no puede ganar nunca. Llevamos las negras, y lo único que nos falta es averiguar cómo jugarlas. Habrá una manera. Siempre la hay.

Transcurrieron dos días espantosamente monótonos. Cuando nos dejaban salir a tomar el aire, aunque estábamos secuestrados por una banda de hombres armados y no sabíamos qué iba a ser de nosotros, me gustaba mirar el frío paisaje del Báltico, que a ratos parecía un mar desvaído y a ratos, cuando las nubes se oscurecían sobre nuestras cabezas, un temible gigante que dormía. Las gaviotas se acercaban desde la costa, siempre visible, como había prometido Dobrinin, y hacían pasadas sobre el Cormorán. En esos momentos no era tan duro, pero cuando estábamos encerrados, sin otro pasatiempo que contar las horas, porque ninguno tenía ánimo para jugar o leer, a todos nos costaba mantener la moral alta. Ni mi padre ni Stefan, obligados al trabajo y al esfuerzo de los turnos al timón, despegaban los labios mientras estaban con nosotros. Stanislaw había perdido las ganas de hacer chistes, Jan y Jakub casi no se movían y Mijaíl estaba siempre absorto, dándole vueltas a su insoluble problema de ajedrez.

Al fin, avistamos el estrecho. Era un paso entre la costa que habíamos venido siguiendo y una isla que quedaba a babor. En ese momento, era Stefan quien guiaba el barco desde el puente, siempre bajo las órdenes de Dobrinin. El jefe de los rusos no se había prodigado durante aquellos dos días. Sólo salía a dar breves paseos por cubierta, quizá para que los centinelas no se distrajeran. Los demás le respeta-

ban mucho, especialmente Yusúpov, aunque trataba de aparentar que tenía más confianza con él. Cuando Dobrinin salía, caminaba con la cabeza baja, como si le pesara su rango. En la práctica, él era ahora el capitán del Cormorán *y el responsable de que la carga llegase a su nuevo destino.*

Antes de entrar en el Golfo de Riga, Róstov bajó para llevar a mi padre al puente. Dobrinin le ordenaba subir. Mi padre fue y estuvo arriba cerca de dos horas. Todos nos preocupamos, porque era la primera vez que mi padre y Stefan estaban al mismo tiempo en el puente desde la noche que habíamos salido de Gdańsk. El barco navegaba ya por el Golfo de Riga con rumbo sudeste, o lo que era lo mismo, hacia la propia Riga. Allí acababa lo que sabíamos de nuestro viaje. La tripulación estaba nerviosa, y Stanisław saltó:

—Deberían decirnos si nos van a liquidar de una vez.

—Calla —le aconsejó Mijaíl—. No tenemos prisa en enterarnos de semejante cosa.

Mi padre bajó bastante serio. Todos los hombres, impacientes, le pidieron novedades.

—Llegamos a Riga esta noche —dijo—. Allí dejamos la carga que llevamos y cogemos otra. El próximo destino lo sabremos cuando hayamos zarpado de Riga. Eso es lo que hay.

La desesperación era visible en las caras de todos. Aquella tarde fue cayendo en un ambiente bastante desolado. Quien más y quien menos, todos nos habíamos hecho la ilusión de que al llegar a Riga los rusos bajarían con sus cajas y se olvidarían de nosotros. Ahora resultaba que el calvario seguía. El único que no parecía haberse dejado derrotar por la noticia era Mijaíl, pero tampoco abrió la boca en toda la tarde.

Era medianoche cuando avistamos Riga. Entramos tan sigilosamente como habíamos salido de Gdańsk, y Stefan, siguiendo las indicaciones de Dobrinin, llevó el barco a un muelle retirado. *Allí esperaban unos hombres que se hicieron cargo de las cajas verdes que habíamos traído de Varsovia y entregaron a Dobrinin y los suyos un nuevo cargamento, más pequeño. Tardaron poco más de una hora en descargar unas cajas y cargar las otras. Durante todo ese tiempo, tres secuaces de Dobrinin nos apuntaban con sus armas para impedir que hiciéramos el más mínimo ruido. Riga era un sitio helado y desierto, o por lo menos lo era el muelle, que fue todo lo que vimos de ella. Cuando aquellos hombres terminaron, el* **Cormorán** *volvió a deslizarse sobre las aguas, de regreso hacia el mar. Y tan pronto como estuvimos fuera del puerto, los tres hombres dejaron de apuntarnos y volvieron a dejar sólo un centinela delante de la puerta. Fue ése el momento que aprovechó Mijaíl para decirle a mi padre:*

—Capitán, se me ha ocurrido algo.

13

Una jugada de peones

No oí lo que Mijaíl habló con mi padre aquella noche. Estuvieron murmurando quince o veinte minutos, y al final mi padre, después de pensarlo durante un rato, hizo un gesto afirmativo con la cabeza. Mijaíl llamó a Stanislaw y a eso siguió otra larga conversación entre los tres. Cuando se separaron, todo estaba acordado. De qué se trataba, ni Jakub ni Jan ni yo lo supimos hasta dos días más tarde.

Un par de horas después de abandonar Riga, mi padre tuvo que relevar a Stefan. Entonces aprovechó Dobrinin para informarle de nuestro nuevo destino: íbamos a Pionerski, en el trozo de Rusia que queda entre Lituania y Polonia. Eso quería decir que teníamos que deshacer el camino: volver a pasar por el estrecho y seguir la costa, pero esta vez hacia el sur, como si regresáramos a Gdańsk. Cuando mi padre nos lo contó, en todos renació la esperanza de llegar pronto a casa. Mijaíl nos devolvió a la realidad:

—¿Y si luego quieren que volvamos a Riga con nuevas cajas verdes?

—Pero no tiene sentido que nos tengan secuestrados indefinidamente —dijo Stanislaw.

—Estoy de acuerdo con Mijaíl —zanjó la cuestión mi padre—. Seguimos con el plan.

En vano protestamos Jakub y yo (Jan era más dócil). Mi padre se negó a contarnos en qué consistía el plan, hasta que llegase el momento oportuno.

Esa misma noche, mi padre le preguntó a Dobrinin qué había en las cajas verdes que subían y bajaban del barco.

—Máquinas de precisión, capitán —dijo Dobrinin—. ¿No lee sus cartas de embarque?

—Sí. ¿Pero qué clase de máquinas?

—Máquinas útiles, en los tiempos que corren. No imagina la clase de problemas que nos vemos obligados a solucionar cada día. Las máquinas son nuestras herramientas y las herramientas de otros que tienen los mismos problemas.

—Pesan mucho, sus herramientas.

—Como los problemas —sonrió misteriosamente Dobrinin.

Durante todo el día siguiente navegamos sin incidentes con rumbo sur, hacia nuestro destino en Pionerski, adonde Dobrinin esperaba llegar en otro día más.

A mediodía, Mijaíl le comentó discretamente a mi padre:

—Pionerski no debe estar a más de sesenta millas de Gdańsk. Si nos acercamos lo más posible, tendremos más oportunidades de que nos ayuden. Sería mejor esperar a mañana.

—Esperaremos —dijo mi padre.

La noche pasó también tranquila. Por la mañana, a la hora habitual, nos dejaron subir a cubierta. El día, para variar, volvía a ser gris y oscuro, más incluso que los anteriores. Jakub y yo nos ocupamos de las tareas de limpieza y Mijaíl y Stanislaw hicieron las revisiones rutinarias de las máquinas. Los rusos estaban de buen humor. Uno de ellos cantaba en popa una de esas canciones suyas, que incluso *cuando son optimistas suenan un poco a llanto. En todo caso, tenía una bonita voz y era agradable escucharle, aunque llevara colgada al hombro una metralleta capaz de disparar cientos de balas por minuto.*

Cuando volvieron a encerrarnos, Stanislaw le dio con mucho secreto algo a mi padre. Después mi padre me llamó. Me enseñó una pieza metálica y me dijo:

—Andrzej, voy a encargarte algo vital para todos nosotros. Quiero que cojas esta pieza y la escondas en un sitio donde sólo tú puedas encontrarla. No la lleves encima. Es una pieza del motor que hará falta dentro de poco. Si yo te la pido, me la darás. Si no, déjala donde la escondas, y sácala sólo si volvemos a hacernos con el barco. ¿Lo has entendido?

—Sí —respondí, y cogí la pieza con el mismo cuidado con que habría cogido un cartucho de dinamita. Pero mi padre tenía algo más para mí.

—Toma también esto —me ordenó.

Y me dio una brújula.

—Es la única que tenemos a bordo. Puede hacernos falta. Escóndela también y no la saques mientras no saques la pieza.

No imaginaba qué era lo que se traía entre manos mi padre. Pero cogí la brújula.

—Una última cosa. Si a mí me pasa algo, y conseguís recuperar el Cormorán, *debéis deshaceros de la carga y llevar el barco de vuelta a casa. Recuérdaselo a Stefan, si se le olvida. Sin parar hasta Gdańsk, y luego a Varsovia. No dejéis de devolverlo allí.*

—¿Qué es lo que va a pasarte? —pregunté.

—Nada. No tengas miedo.

Después vino el almuerzo y todo siguió siendo normal hasta primera hora de la tarde, cuando de pronto, las máquinas del Cormorán *dieron tres o cuatro sacudidas y quedaron en silencio. Dobrinin le gritó a mi padre que vol-*

viera a ponerlo en marcha. Mi padre dijo que debía haber alguna avería en las máquinas, y en seguida bajaron por Stanislaw. Después de un rato, Stanislaw salió del cuarto de máquinas con una pieza idéntica a la que me había dado mi padre. La traía en alto, envuelta en un trapo grasiento.

—Está rota —dijo—. Y no puedo arreglarla.

Dobrinin clavó en Stanislaw una mirada de hielo. Yo las habría pasado moradas para resistir una mirada así, pero Stanislaw se encogió de hombros.

—Aquí está la pieza —la enseñó, sin achicarse—. Se ha ido desgastando con el tiempo y ha terminado por irse. Véala. No falta nada más, pueden bajar a comprobarlo. El motor está perfecto, pero esta pieza está rota, y sin ella, no anda.

—¿Y no lleva un repuesto? —dijo Dobrinin, lentamente.

—Esta pieza no se rompe nunca. Cuestión de mala suerte. Pasa una vez entre un millón.

Dobrinin se volvió hacia mi padre.

—Es un buen mecánico —dijo mi padre, convencido—. Puede creerle.

—¿A cuánto calculas que estamos de Pionerski, Yusúpov? —consultó Dobrinin.

—A cuarenta o cincuenta millas, tal vez —estimó Yusúpov.

—Lo bastante lejos. Muy bien —concluyó Dobrinin, impasible—. Tú y tú, vigiladles. Que ninguno se mueva de aquí. Los demás, registrad esta bañera de arriba abajo.

Dedicaron al registro un par de horas. Después de cachearnos, levantaron las literas, miraron en todos los rincones, abrieron todo lo que podía abrirse. No encontraron nada. Ya había anochecido cuando se rindieron. A la luz de las linternas de sus hombres, porque con el motor parado la luz del barco no funcionaba, Dobrinin nos reunió a todos.

—De acuerdo. Vamos a situarnos. Puedo empezar a dispararles uno por uno, hasta que alguien me confiese dónde está la pieza de repuesto. El problema es que puede que sea verdad que no hay pieza de repuesto, y entonces estaría disparando a unos pobres idiotas inocentes. Hay a quien no le importa eso, pero a mí sí me importa. No voy por ahí derramando sangre, o por lo menos no lo hago si puedo hacer algo menos violento. Le doy la oportunidad de sugerir una alternativa, capitán. Si tiene una solución mejor para esta situación que se nos ha planteado, estoy dispuesto a escucharla.

Todas las miradas, las de los rusos y las de todos nosotros, se concentraron en el capitán. Mi padre pensó durante unos instantes y, al fin, dijo:

—Tenemos la lancha salvavidas. No estamos lejos de la costa. Podemos ir en ella hasta el puerto más cercano y buscar allí la pieza.

—¿Quiénes podemos ir? —preguntó Dobrinin, con recelo.

—Usted y yo, con los hombres que crea que necesita para vigilarme.

—No me parece buena idea —opinó Dobrinin, tras meditar la propuesta.

—¿Qué sugiere, entonces?

Dobrinin señaló la lancha salvavidas.

—¿Cuántos hombres pueden ir en esa lancha?

—No sé —dudó mi padre, un poco sorprendido por la pregunta—. Diez, como máximo.

—Nos sobra. Se me ha ocurrido algo que le divertirá. Nos servirá para estirar las piernas a todos. Róstov —y se volvió al aludido—. Te quedas al mando. Voy a dejarte dos hombres. Yusúpov y el resto, venís conmigo. Nos llevamos al capitán, a Stefan y al mecánico. ¿Podréis manejaros sólo tres con los niños y el viejo, Róstov?

—Por favor —se quejó Róstov, con una risa nerviosa—. La duda ofende.

Vi el gesto de mi padre. La estratagema no había salido como esperaba. La sombra que pasó por su cara fue suficiente para darse cuenta de que algo había fallado. Por un segundo incluso me pareció que quería rectificar, pero no se le ocurrió nada. Dobrinin indicó a sus hombres que llevaran a mi padre con Stefan y con Stanislaw hacia la lancha salvavidas. Era una pequeña lancha con motor, que en el río nos servía sobre todo para adelantarnos al Cormorán y hacer pequeños encargos cuando se necesitaba. En el Vístula se movía estupendamente, pero al echarla a las aguas del Báltico parecía una barquita insignificante. Saltaron primero los nuestros y luego los rusos. El último fue Dobrinin. Mientras se acomodaba, se dirigió a los desanimados Stefan y Stanislaw:

—No se lo tomen así. Comprendan que prefiero llevar conmigo al piloto y al mecánico. Es una buena manera de asegurarse de que a nuestro regreso el barco seguirá aquí.

Cuando la lancha partió y los dos hombres que habían quedado con Róstov nos devolvieron al compartimento de la tripulación, Mijaíl nos contó el plan. El truco de la pieza de repuesto era para que dejaran a uno de los nuestros ir a tierra, y a la vez para alejar a Dobrinin y a algunos de sus hombres del barco. Mi padre se ofrecería para ir por la pieza, y cuando desembarcaran trataría de escapar y pedir ayuda. Ése era el plan A, y más o menos marchaba según lo previsto. Pero también había un plan B, que era el que había fallado. Si en el Cormorán no quedaban muchos rusos, y si se presentaba una buena oportunidad, Stanislaw, Mijaíl y Stefan, con la mínima colaboración imprescindible por nuestra parte, tratarían de sorprenderlos y de recuperar el barco. Hecho esto, y una vez que Stanislaw arreglara el motor con la pieza que yo tenía escondida, Stefan alejaría el barco diez o veinte millas y esperaríamos noticias de mi padre. Si a medianoche no había novedad, pondríamos rumbo a Gdańsk y navegaríamos a toda máquina. Una vez que llegáramos a Gdańsk daríamos aviso a las autoridades, para que trataran de salvar al capitán. En todo

145

caso y en cualquiera de los dos planes algo estaba claro: el capitán se la jugaba. Stanislaw y Stefan habían querido ocupar su lugar, pero mi padre se había negado en redondo. Por su ceguera, decía, habíamos perdido el Cormorán. Si alguien tenía que arriesgarse más que los otros, ése era él y nadie más que él.

Cuando Mijaíl terminó de contárnoslo todo, Jakub tomó la palabra.

—Todavía podemos seguir con el plan B.

Mijaíl meneó la cabeza.

—Nos faltan Stanislaw y Stefan. Ésa ha sido la astucia de Dobrinin.

—¿Y qué? —replicó Jakub.

—¿Cómo que «y qué»? —dijo Mijaíl.

—Jan puede arreglar el motor y Andrzej llevará el barco. Se lo ha visto hacer a su padre cientos de veces. ¿No podrías hacerlo, Andrzej?

—No sé, creo que sí —titubeé.

—Es más —siguió Jakub—, ahora que nos hemos quedado solos y al capitán se lo han llevado los rusos, tenemos que resolver urgentemente la cuestión del mando. Hay que nombrar a un nuevo capitán. Y yo propongo que sea Andrzej.

—¿Yo?

—Eres el hijo del capitán, y eso ya es una razón, ¿no? Además, eres el único que puede llevar el barco. Yo me pongo a tus órdenes. ¿Y el resto?

—Yo también —se sumó Jan.

Mijaíl tardó un poco en responder. Antes de hacerlo me miró muy fijamente a los ojos, como si tratara de averiguar si lo que yo había aprendido de él y de mi padre podía ser bastante para asumir semejante responsabilidad. Aguanté la mirada de Mijaíl, porque de pronto, después de oír aquella increíble propuesta de Jakub y darme cuenta de lo que significaba, tuve la necesidad de creer que sí podía ser el capitán del Cormorán. Después de todo, era la ilusión de mi vida, aunque me doliera que la oportunidad viniera en aquellas circunstancias y aunque fuera tan atrevido aceptar el desafío, con apenas quince años y un par de chavales y un viejo a punto de jubilarse por toda tripulación.

—Está bien —dijo al fin Mijaíl, prudentemente—. Andrzej será el capitán. Pero no podrá ejercer hasta que no nos libremos de los rusos. ¿Cómo vamos a conseguirlo?

—Con una jugada de peones —me lancé, arrastrado por una especie de inspiración. Los capitanes están obligados a tener inspiraciones de ese tipo en los momentos críticos, y yo trataba de ser digno del cargo que acababan de entregarme.

—¿Qué?

—No somos tres niños inofensivos, como cree Dobrinin. Tú nos has enseñado a pelear, y no lo haremos peor que lo hubieran hecho Stanislaw o Stefan. Entre los cuatro, si los cogemos por sorpresa, podemos ganarles. Será como jugar con los peones, en el ajedrez. Tú lo dijiste: parecen poca cosa, pero si te descuidas, pueden hundirte.

A veces uno hace o dice algo y nota que le aprueban. Esa noche, Mijaíl me aprobó, y con eso me refiero a que aprobaba la forma en que yo había asimilado sus lecciones y también la idea que había tenido para llevarlas a la práctica.

—Está bien —asintió, despacio—. Con una condición. De los dos que están con Róstov, hay uno, el más alto, que debe ser también el más peligroso. Yo le atacaré, y vosotros sólo iréis por Róstov y por el otro si consigo tumbar al alto y distraerles a ellos.

Mijaíl, claro, quería protegernos, correr todo el peligro él y que nosotros no corriésemos ninguno si la cosa se estropeaba. Podría haber usado mi flamante autoridad de capitán para negarme, pero me percaté de que si me negaba Mijaíl no me aceptaría como jefe y recuperaría la autoridad que le daban su edad y su experiencia. Además, él nos había enseñado a pelear, y por tanto era justo que él organizara la pelea.

Acordamos que el más fácil de los otros debía ser Róstov, que se movía peor, por la gordura, y sólo llevaba un revólver. Mijaíl decidió que uno de nosotros fuera por él y los otros dos por el que quedaba. Sorteamos y Róstov le tocó a Jakub. Jan y yo debíamos anular al otro, que también tenía una metralleta, como el de Mijaíl.

Mijaíl golpeó la puerta del camarote. En ese momento la vigilaba el hombre alto, que se asomó. Mijaíl le pidió que llamara a Róstov. El gordo vino al cabo de un minuto.

—¿Qué pasa?

—Los chicos están un poco nerviosos. Les vendría bien dar un paseo por cubierta. ¿No podrían dejarles salir un poco?

Mijaíl puso un tono suplicante, que ablandó a Róstov. En realidad, a Róstov debía gustarle que le suplicaran, y sentirse lo bastante superior como para conceder lo que se le suplicaba. Róstov, estaba claro, no tenía ni idea de jugar al ajedrez.

—Está bien —dijo—. Diez minutos —y le hizo una seña al vigilante.

Salimos, Jan y yo juntos, Jakub desmarcándose poco a poco hacia Róstov. Mijaíl se quedó cerca del alto, su objetivo. La noche se había aclarado ligeramente. La brisa había removido las nubes, y aunque no había llegado a despejar del todo, sí se había abierto el hueco suficiente para descubrir la cara plateada de la luna. Bajo su luz avanzamos, con mucho tiento. Los tres rusos se rieron cuando Róstov se burló:

—A éstos los estamos haciendo hombres demasiado deprisa.

Jan y yo fuimos hacia proa, donde estaba el nuestro. Jakub se acodó en la borda a apenas tres metros de Róstov. Mijaíl nos observaba y observaba al alto. Cuando todos tu-

vimos una buena posición, esperamos a que Mijaíl iniciara el ataque.

Fue como un relámpago. Fingió que se le caía la gorra, se agachó a recogerla y cuando se levantó disparó un puño y luego el otro contra el alto. Antes de que éste pudiera reaccionar, Mijaíl le había dado tres veces y el ruso se retorcía de dolor. Nuestro hombre, al ver cómo caía el alto, se olvidó de nosotros y fue a apuntar su arma contra Mijaíl. Pero Jan y yo caímos sobre él y le dimos varios de los golpes que hacían daño. Mientras Jan recogía la metralleta del suelo, yo me di prisa en atarle las manos y los pies. En un momento le di seis vueltas y le hice tres nudos indestructibles. Es una de las ventajas de haber pasado bastante tiempo en un barco, que sabes hacer nudos como rosquillas. Cuando me levanté del suelo, dejando inutilizado a nuestro oponente, vi cómo había terminado el resto de la pelea. Mijaíl también había atado al alto y ya tenía su metralleta colgada al hombro. Jakub estaba sentado sobre la panza de Róstov y le apoyaba el cañón del revólver en la punta de la nariz. Róstov no estaba atado, pero no se movía. Jakub le había atizado en la boca del estómago y el gordo tenía la cara azul. Fui hacia allá.

—Ya vale, Jakub. Hay que atarlo.

Mientras le ataba, le dije:

—Queda arrestado, Róstov. Éste vuelve a ser nuestro barco y ahora soy yo el capitán. Si hace alguna tontería, mis hombres le echarán por la borda.

—Y si flota haremos puntería con su barriga —se relamió Jakub.

Arrastramos a nuestros prisioneros hasta el que había sido el camarote del pasaje, cuando el pasaje eran sólo Yusúpov y Róstov, y los encerramos con llave. Después de eso nos reunimos los cuatro en popa. Hacía una noche fría, allí en mitad del Báltico, y la costa no era más que una débil línea de luces en la distancia. Arriba, en el cielo, las nubes querían volver a cerrarse sobre la luna, que a duras penas se abría ahora paso entre ellas. Pero estábamos contentos, porque volvíamos a tener el Cormorán, y porque nos lo habíamos ganado a pulso, y porque a Dobrinin le iba a dar un infarto cuando se enterara de la que los tres críos y el viejo le habían jugado.

—¿Y ahora qué, capitán? —dijo Mijaíl.

En su voz temblaba la emoción, y también tembló en la mía al contestar:

—Ahora, seguimos con el plan B.

14

La niebla

Lo primero que había que hacer era montar la pieza del motor que mi padre me había dado por la mañana. Dejamos a Jakub y a Mijaíl vigilando a los prisioneros y entrenándose en el manejo de la metralleta, y Jan y yo fuimos a sacar la pieza de su escondite. Mi padre me había pedido que la guardase donde nadie pudiera encontrarla. Después de pensar y pensar, todo lo que se me había ocurrido había sido lo siguiente: meterla en el fondo de una de mis botas de goma y taparla a presión con mis calcetines sucios. Las botas pesaban lo bastante como para que el peso añadido casi no se notase, y los calcetines olían que apestaban. Además, protegerían la pieza si le daban algún golpe. Supuse que unas botas tiradas en medio de mi taquilla no iban a llamar la atención, y que el olor de los calcetines no invitaría a nadie a mirar. Y acerté. Mientras le daba la pieza a Jan, después de sacarla del fondo de la bota, el ayudante del mecánico puso cara de asco:

—Vaya marranada, Andrzej, perdón, capitán.

—Era una emergencia. Anda, ve rápido a ponerla. Sabrás hacerlo, ¿no?

—No soy muy buen mecánico, pero sí lo bastante para saber dónde va esto —respondió, con una especie de orgullo herido.

En la otra bota había escondido la brújula. Cuando Jan ya se había ido, la recuperé y me la guardé en un bolsillo del impermeable. Después subí a cubierta, donde estaba sólo Mijaíl. Miraba hacia la costa con los prismáticos. Al verme me los tendió:

—Mira tú. Además de ser el capitán, tus ojos son jóvenes. Yo no veo que venga nadie.

Cogí los prismáticos y enfoqué la costa. La recorrí despacio. Sólo había luces lejanas, que con los prismáticos parpadeaban menos que a simple vista. Eso era todo.

—¿Cuánto hace que se fueron? —pregunté.

—Una hora. Un poco más quizá —estimó Mijaíl.

En ese momento apareció Jan, limpiándose las manos con un trapo. Traía una sonrisa de oreja a oreja y dijo:

—Puedes arrancarlo.

—¿Ya?

—Era pan comido.

Subí con Mijaíl al puente y me coloqué delante de los mandos del barco. Había visto a mi padre hacer todas las operaciones necesarias, incluso él me había dejado hacer algunas de ellas bajo su supervisión. Pero aquel momento era diferente. En aquel momento iba a tener, de verdad, un barco entre mis manos. O mejor dicho, no iba a tener un barco, iba a tener nada menos que el Cormorán. En mi vida marinera, aquél era un momento histórico. Mijaíl sabía cuánto me impresionaba, y me animó:

—Vamos. Puedes hacerlo.

Dejé que mi memoria me fuera indicando lo que había que hacer. Repetí todas las maniobras que solía hacer mi padre, incluso imitando sus movimientos y sus gestos, como si éstos fueran incluso más importantes que el hecho de apretar tal o cual botón o bajar tal o cual palanca. Al fin, con un rugido, los motores se pusieron en funcionamiento. El barco empezó a vibrar y cuando cogí el timón noté la potencia de las máquinas. Ahora era yo quien tenía que diri-

gir aquella potencia. Por aliviar la tensión, consulté con Mijaíl:

—¿Adónde dijo el capitán que lo lleváramos?

—A unas diez o veinte millas, manteniendo siempre a babor la costa.

—Pues vamos allá —dije, y lo solté y empecé a virar.

Jan, desde cubierta, levantó varias veces el puño con el pulgar estirado, mientras lanzaba una especie de grito de guerra. Después dio tres o cuatro saltos entre las cajas y se fue a proa, para sentir en la cara el aire del Báltico. Yo, desde el puente y detrás de los cristales, no podía sentirlo como él, pero tuve la ilusión de que lo sentía: la ilusión de ir en la proa de nuestro barco, rompiendo el mar, en aquella noche de luna y de nubes inquietas. Es curioso que la sensación no fuera real, sino lo que me imaginé al ver a Jan allí. Porque ésta, Laura, es una de las mejores sensaciones de toda mi vida.

Cerca de una hora después, y una vez que habíamos alcanzado la distancia suficiente, reduje la marcha. Cuando el barco perdió velocidad, le dije a Mijaíl:

—Y ahora a esperar. Ojalá lo consigan.

—Habrá que ser pacientes. Quedan dos horas hasta medianoche —dijo Mijaíl.

—No las desperdiciaremos. Tenemos algo que hacer.

—¿El qué?

—Órdenes del capitán. Me las dio antes de irse. Yo sólo soy el suplente, así que debo cumplirlas. Todos debemos, mientras él esté fuera.

Poco después, Mijaíl, Jan y yo abrimos con una palanqueta la primera de las cajas. Nos costó que saltase la tapa verde. Cuando al fin cedió, la apartamos, y apartamos también la paja de embalar que había debajo. Lo que apareció ante nuestros ojos nos dejó de piedra. En la caja había municiones, miles de cartuchos dorados en paquetes, en cintas, en cargadores engrasados. Luego abrimos otras cajas y el asombro fue en aumento. Guardaban fusiles, granadas, incluso cohetes. Teníamos una buena tarea por delante.

—Vamos, no hay tiempo que perder —dije.

Estuvimos más de hora y media reventando cajas y tirando a las negras aguas del Báltico todo aquello: balas, ametralladoras, bombas de mano, y otros artefactos que no sabíamos qué eran ni cómo se utilizaban para matar. Descargar la mercancía en un muelle, siendo sólo tres personas, nos habría llevado mucho más tiempo. Pero tirarla por la borda, de cualquier manera, pudimos hacerlo, y fue además muy divertido. A todo el mundo le gusta tirar cosas al agua y ver cómo se hunden. Cuando Jakub empezó a oír el ruido que hacían las armas al caer, en seguida quiso unirse a la fiesta. Sintiéndolo mucho, le dije que siguiera vigilando a los prisioneros hasta que mandase a relevarle. A la media hora, noté que Mijaíl se cansaba. Así fue como Jakub vino y pudo sembrar de chatarra el fondo del mar. También tiramos las cajas, que no se hundieron del todo y formaron una especie de procesión que se llevaba la corriente. Cuando terminamos la faena estábamos agotados, pero nos habíamos desahogado de sobra de los días de secuestro y el Cormorán se mecía con las olas, libre de aquella carga que le habían echado encima contra su voluntad.

Después del esfuerzo y del desahogo, el rato de espera hasta medianoche ya no fue tan divertido. Todos mirábamos cómo avanzaban las agujas del reloj, a la vez demasiado despacio y demasiado deprisa, porque se acababa el tiempo que les quedaba a nuestros compañeros. Si no aparecían, teníamos que empezar a pensar que estaban en apuros. Personalmente, aunque Dobrinin fuera un traficante de armas y un criminal temible, intuía algo en él que me hacía abrigar esperanzas. No nos había hecho daño a ninguno; incluso con lo de la pieza averiada había procurado no mostrarse cruel. De todas formas, tener que confiar en la compasión de aquel sujeto no me hacía nada feliz.

Cuando nuestros relojes marcaron las doce, nos vimos ante el dilema. Y sobre todo yo, como capitán en funciones: ¿seguíamos esperando o salíamos hacia Gdańsk? Si nuestros compañeros no habían dado señales de vida, lo más probable era que ya no las dieran, y en ese caso lo que teníamos que hacer era correr a pedir ayuda. Pero por otra parte, ¿podíamos huir tan tranquilos a Gdańsk y dejarles allí abandonados? Algo se rebelaba en mí contra esa idea, que me parecía una cobardía. Y así lo dije:

—No podemos dejarles solos.

—¿Y qué otra cosa podemos hacer? —intervino Mijaíl.

—Podemos ir allí —y señalé hacia donde debía estar la costa, porque ahora casi no se veía—. Podemos buscarles y ayudarles.

—No podemos ayudarles —descartó Mijaíl—. Hemos conseguido recuperar el barco y ya hemos tenido mucha suerte. La suerte nunca hay que gastarla hasta el fondo. Si la gastas hasta el fondo, se convierte en desgracia.

—¿Y cómo vamos a marcharnos así, sin más?

—Tú lo has dicho antes. Las órdenes que dio el capitán antes de irse debemos cumplirlas a rajatabla. Incluso tú. Y el capitán ordenó que fuéramos a Gdańsk.

No sólo se lo había ordenado a Mijaíl. Volvía a escuchar sus palabras, cuando me había dado la pieza del motor para que la escondiera y me había dicho lo que tenía que recordarle a Stefan: «Sin parar hasta Gdańsk, y luego a Varsovia». Además, Mijaíl tenía razón. Con un poco de valor habíamos podido desarmar a Róstov y a sus dos hombres, pero eso no era bastante para creernos capaces de acabar con Dobrinin y Yusúpov, que eran hábiles y astutos, o con los dos hombres que se habían llevado, que debían ser los dos mejores. Cuando los peones tienen una buena ocasión, pueden hacer alguna cosa, pero deben cuidarse mucho de sobrevalorar sus posibilidades. Un alfil siempre es un alfil.

—Está bien —me rendí—. A Gdańsk.

Entonces me dispuse a buscar en el bolsillo de mi impermeable la brújula que tan previsoramente me había pedido mi padre que guardara. Era de noche y no se veían las estrellas. Desde hacía algunos minutos, además, nos había caído encima una especie de bruma que nos había quitado del todo la referencia de la costa. En esas circunstancias, la brújula iba a ser de gran ayuda para fijar el rumbo y mantenerlo. Me tanteé primero el bolsillo en el que creía haberla guardado: vacío. Me tanteé después todos los demás, ya un poco nervioso. Nada. De pronto me acordé. Mientras estábamos tirando la carga al agua, al lanzar una caja de cartuchos un poco más pesada que las otras, me había parecido oír dos chapoteos, el de la caja y otro más pequeño. No le había dado ninguna importancia, pero ahora me daba cuenta de lo que había pasado. Con la fuerza que había hecho para tirar la caja por encima de la borda, también había salido la brújula de mi bolsillo y había caído al agua. Era una torpeza funesta y además imperdonable, porque con ella ponía ahora en peligro el barco que me habían confiado y a su tripulación, cuya vida debía guardar como lo más precioso. Los pensamientos se agolpaban en mi mente, pero uno se impuso sobre el resto: que mis compañeros no se enterasen de mi desesperación. Puse el barco en movimiento y tomé el rumbo con seguridad. Mijaíl, que iba a mi lado, observó:

—Hemos perdido de vista la costa. ¿Estás seguro del rumbo?

—Sí. La costa estaba allí. Voy a acercarme hasta que volvamos a verla y luego la seguiré. Según el mapa, es la mejor forma de llegar a la bahía de Gdańsk.

Trataba de mostrar aplomo, dando aquellos detalles sobre el mapa que habíamos estado viendo juntos, y en el que Mijaíl me había señalado cuál creía que era nuestra posición aproximada en aquel momento. Pero el viejo cosaco no ocultó su preocupación:

—Espero que puedas dar con ella. La verdad es que es una lástima que no llevemos radio ni brújula. Con una radio todo habría sido mucho más sencillo, y una brújula nos vendría ahora de perlas, especialmente si sigue espesándose la bruma. Pero, ¿para qué demonios hacen falta una radio y una brújula en un barco que sólo navega por el río?

Aquel comentario en parte me alivió y en parte me hizo sentir peor. Me alivió porque demostraba que lo de la brújula era un secreto entre mi padre y yo, y que Mijaíl no podía sospechar mi estúpido accidente. Me hizo sentir peor porque me hizo ver aún más claro que podíamos tener un problema grave que mi padre me había dado la manera de evitar. Si al final teníamos aquel problema, sería sólo por mi culpa; por culpa del niño incompetente que se había creído capaz de ser capitán y que, para colmo, había convencido a sus buenos compañeros de que le nombraran. No podía sentirme más miserable.

Pero sí, sí que podía, porque aquello no había hecho más que empezar. La niebla se hacía más y más espesa, y pronto tuve que admitir que estaba navegando sin rumbo. Lo admití primero para mis adentros, y después, cuando ya no pude seguir soportando el silencio de Mijaíl, su mirada sombría y su frente arrugada, lo confesé en voz alta:

—Mijaíl, nos hemos perdido.

—Ya lo veo. Afloja.

El **Cormorán** obedeció mi maniobra y fue perdiendo impulso. Jakub vino rápidamente al puente. Jan estaba abajo, con los prisioneros.

—¿Qué pasa?

—Que hemos perdido el rumbo.

—¿Por la niebla? —preguntó Jakub.

—Por la niebla —dije, pero pensaba: «Y por un imbécil que tiró la brújula».

—¿Y qué vamos a hacer?

—Sólo podemos hacer una cosa —dijo Mijaíl—: esperar a que se quite. *Si seguimos navegando sin saber adónde corremos el riesgo de perdernos más, o de chocar con alguien.*

—También pueden chocar con nosotros si nos quedamos aquí —sugirió Jakub.

—Reza por que no sea así.

—Apagaré el motor —dije, en un intento de recobrar el control de mí mismo—. Tenemos que ahorrar el combustible, por lo que pueda pasar.

—Es una buena idea, capitán —aprobó Mijaíl, esforzándose en dibujar una sonrisa.

Bajé a cubierta, para tratar de aclararme la cabeza. Alrededor del Cormorán se extendía el manto de aquella niebla impenetrable. Respiré hondo. Hacía frío. A pesar de la sonrisa de Mijaíl, medité, la situación era pésima: con el barco a la deriva, tres traficantes de armas encerrados en un camarote y un idiota al mando. Y mientras tanto, Stanislaw, Stefan y mi padre estaban esperando una ayuda que nunca iba a llegarles, o que tardaría en llegarles lo que nosotros tardásemos en llegar a Gdańsk. A aquel paso, una eternidad. Tenía ganas de arrancarme todos los pelos de la cabeza, de darme de puñetazos, de contárselo a ellos y de suplicarles que me destituyeran.

Pero no es eso lo que hace un capitán cuando se equivoca. Tenía, tan cercano como ninguno, el ejemplo de mi padre. Creía que todo lo que nos había pasado había sido por un error suyo, pero no por eso había abandonado el mando. Lo que hizo fue empeñarse hasta sus últimas fuerzas en remediar aquel error. Y eso era lo que yo tenía que hacer, cuando pudiera, como pudiera, si podía. Mantenerme en pie y no desmayar, para terminar llevando el barco y a todos los que estaban a mi cargo a puerto. Como decía la segunda regla del ajedrez, según Mijaíl: en lo peor de la batalla, mantente en tu sitio. Aquello no era el ajedrez, sino la vida, las vidas de todos mis compañeros. Recordé las palabras de Mijaíl: *una partida perdida se olvida en seguida, pero una vida malgastada te duele siempre.*

Bajé a ver a Jan. También me pidió novedades:

—¿Por qué nos hemos parado?

—Hay mucha niebla. No podemos orientarnos. ¿Cómo va el pasaje?

—Róstov dice que le molestan las cuerdas. Y que tiene sed.

—Por supuesto que le molestan las cuerdas. Para eso son. Pero ahora que lo dices, habrá que pensar en la forma de darles algo de comer y de beber. Me temo que van a estar ahí más tiempo del previsto. ¿Cuánto aguantas tú todavía?

—Lo que haga falta —aseguró.

—En cuanto podamos, bajamos a relevarte.

Volví al puente. Jakub y Mijaíl seguían allí, bastante apagados. Mientras estuviera así de cerrada la niebla, era muy poco lo que podíamos hacer, salvo reponer fuerzas. Era mi deber conseguir que nos organizáramos al menos para eso:

—Es muy tarde. Habría que establecer un turno de guardia y tratar de dormir. Quizá cuando amanezca se vaya la niebla.

Mijaíl y Jakub me miraron. Por primera vez, creí percibir un reproche en su mirada.

—A mí me preocupa tanto como a vosotros que no podamos hacer nada por ayudarles —dije—. Pero la niebla no se irá antes porque estemos aquí todos.

Mijaíl se puso en pie.

—El capitán tiene razón. ¿Quién se queda el primero aquí?

—Aquí me quedo yo y me quedo toda la noche —contesté—. No tengo sueño. El turno es abajo, con los rusos.

—No puedes mandarnos a los demás a dormir y quedarte tú en vela —protestó Mijaíl.

—Si me entra sueño me echaré ahí un poco —y señalé el jergón en el que Yusúpov y Dobrinin se habían ido turnando las últimas noches, cuando ellos gobernaban el barco.

—No es justo, Andrzej.

—Es una orden —insistí—. Procurad descansar.

A Mijaíl le costó aceptarlo, pero los otros, y él no se había opuesto, me habían nombrado capitán. Aguanté en pie tres o cuatro horas, con la vista fija en la niebla, pagando la culpa que me tocaba por haber metido el Cormorán y a sus hombres en aquella trampa. Me acordaba de mi padre, todo el tiempo, y rezaba para que la niebla se fuera. Pero la niebla no se iba. Al menos, el Báltico seguía tranquilo. Por el momento.

15

La tempestad

No habría dormido más de un par de horas cuando me desperté el amanecer. Aunque quizá no fuera demasiado apropiado llamarle amanecer a aquello. De pronto, la niebla empezó a iluminarse, muy poco a poco, y al cabo de un rato dejó de ser del color oscuro que había tenido durante la noche y se volvió blanca y turbia. El mar también cambió de color. Ya no era negro, sino gris. Con la llegada del día, contra lo que yo había esperado, no sólo no se despejó nada, sino que se pudo apreciar mejor hasta qué punto era espesa aquella niebla. Desde el puente, casi no se veía la proa del Cormorán.

Acababa de desperezarme cuando apareció Mijaíl. Traía su gorra calada hasta los ojos y venía tiritando bajo su jersey. A aquella hora de la mañana hacía todavía más frío que por la noche. Entre ese frío y el silencio que sólo rompía el rumor constante del mar, nuestro desamparo no podía ser más grande.

—No se va —dijo Mijaíl, a modo de saludo.

—No. Y no sé qué podemos hacer —me lamenté.

—Nada más que esperar.

Y eso fue lo que hicimos, esperar. Por fortuna teníamos provisiones, las que habían cargado en Riga nuestros secuestradores, y pudimos darnos un buen desayuno. También dimos de desayunar a los prisioneros, de uno en uno porque ésa era la mejor forma de controlarles. Les desatábamos las manos, para que pudieran desentumecerlas. Como medida de seguridad, Mijaíl cogió una de las metralletas y les apuntó mientras comían.

—No os apunto yo porque los chicos vayan a asustarse —les dijo—, sino porque no creo que tengáis ninguna duda de lo que haré yo si hacéis un movimiento de más.

Los rusos no levantaban la vista del plato y se dejaron atar otra vez sin resistencia.

El único que se creyó en el deber de abrir la boca, posiblemente porque era el jefe y porque había perdido de forma vergonzosa el control de la situación, fue Róstov.

—Os habéis metido en un buen lío —dijo, riéndose, como si olvidara que le habíamos quitado el barco y habíamos mandado a pudrirse en el fondo del Báltico su mercancía—. Claro que en peor lío están vuestros compañeros.

Vi que Jakub iba a darle un puntapié. Mijaíl le paró y se agachó sobre Róstov:

—¿Y tú? —le preguntó.

Y a continuación le largó una parrafada en ruso que al otro le hizo palidecer.

—¿D...dónde has aprendido a hablar así? —tartamudeó Róstov.

—Mi madre era rusa, imbécil. Y ahora, por vuestra culpa, tengo un buen trabajo con esta gente polaca para explicarles que Rusia es algo más que un nido de víboras. Que la gente en Rusia también se levanta por la mañana y trata de ganarse la vida sin estropeársela a los demás. Dime, Róstov, ¿cómo crees que puedo explicárselo ahora, para que lo entiendan y para honrar como debo la memoria de mi madre?

Después siguió hablándole en ruso, intercalando bastantes de las palabras que solía dedicarle a Stanislaw cuando se peleaban. *Mientras le caía aquella bronca encima, Róstov debió acordarse de que le teníamos prisionero y de que tan pronto como llegáramos a puerto le íbamos a entregar a la policía, porque su arrogancia se esfumó.*

La niebla, por el contrario, no se fue en toda la mañana. El Cormorán *seguía a la deriva, y desde el puente vigilábamos a la caza de cualquier novedad: una luz, la silueta de un barco, la línea de la costa. No vimos nada, no oímos nada. A medida que las horas iban pasando, la suerte de nuestros compañeros era más y más preocupante, y nuestra impotencia para ayudarles más insufrible. Sobre todo para mí.*

Después de comer, pareció que la niebla se revolvía. Pero también se revolvió el mar. Las olas, que desde que habíamos salido de Gdańsk habían sido pequeñas y no habían pasado de sacudir suavemente el barco, empezaron a ser mayores y a azotarlo con saña. Media hora más tarde, la niebla se iba disipando, pero al mismo tiempo el Cormorán *subía y bajaba peligrosamente. Y el que la niebla se estuviera yendo no resolvía gran cosa, porque el cielo estaba cubierto de unas nubes negras que en seguida se pusieron a descargar un diluvio sobre nosotros. En mitad de aquella tormenta, seguíamos sin ver la costa. En realidad, no sabíamos adónde podía habernos arrastrado la corriente, en todas las horas que llevábamos a su capricho. Mientras el oleaje nos castigaba, comprendí lo que mi padre le había dicho a Yusúpov cuando el ruso le había preguntado si el* Cormorán *podía navegar por el mar: los peligros del mar no eran los peligros del Vístula. Cada golpe del mar hacía temblar todo el barco, y en seguida vi lo que nos estábamos jugando ahora. Ya no era el retraso, ya no era alejarnos de Gdańsk, sino algo mucho peor: que uno de aquellos golpes fuera demasiado fuerte y nos hundiera. Y si nos hundíamos era el fin, mi fracaso como capitán, el desastre absoluto. Las palabras de mi padre acudieron de nuevo a mi memoria: si un capitán pierde su barco, es peor que si pierde la vida.*

En ese momento estaban conmigo en el puente Jan y Jakub. Eran las cuatro en punto y Jakub se abrigó. Debía ir a relevar a Mijaíl en la custodia de los rusos. Seguir cumpliendo los turnos era difícil cuando estábamos al borde de la catástrofe, pero mantener la disciplina ayuda a no perder los nervios. Antes de que saliera, le dije a Jakub:

—Ten mucho cuidado.

Jakub respiró hondo y asintió.

A los dos minutos, vino Mijaíl. Entró empapado, tropezando con todo.

—La cosa se pone fea —dijo. Tenía miedo, desde luego, pero lo vencía, como Jakub.

—No vamos a salir de ésta —murmuró Jan. Noté que Jan sí estaba a punto de derrumbarse, y comprendí que no podía permitirlo. Ellos me habían nombrado capitán para que se me ocurriera cómo evitar el pánico. Tenía que tomar alguna decisión.

—Claro que vamos a salir —dije—. No vamos a seguir aquí, esperando a que una ola nos parta en dos. Vamos a arrancar y a buscar la costa, como sea.

—¿La costa? Si no se ve nada —se quejó Jan.

—Habrá que esforzarse por verla.

Mijaíl, mientras tanto, meditaba. No pudo dejar de advertirme:

—Si nos ponemos en marcha corremos el riesgo de alejarnos todavía más. Y gastaremos combustible, que puede hacernos falta luego.

—Lo sé —reconocí, sin echarme atrás—. Ayer no podíamos correr un riesgo como ése. Hoy no tenemos más solución que correrlo.

Me costaba mucho mostrarme tan decidido ante mis compañeros. No olvidaba en ningún momento cuánta culpa tenía de lo que estaba pasando, y cada cierto tiempo volvía a dudar si no debía confesarlo todo y entregarles el mando que habían puesto en mis manos indignas. Pero cada *vez me sobreponía y me decía que no, que no tenía derecho a abandonar sin haberme dejado la piel en el intento de salvarles.*

—Supongo que no hay otra salida —se resignó Mijaíl. Me preparé para volver a poner en marcha las máquinas. Aunque la tempestad, que era la ira del Báltico, arreciase contra nuestro pobre barco de río, volví a sentir la ilusión de llevar el Cormorán. *Nada estaba perdido, todavía. Cuando rugieron de nuevo los motores, y el barco, noble y rabiosamente, obedeció mis órdenes, me prometí y le prometí muchas cosas. Prometí que lo sacaría de allí, y que lo llevaría a puerto, y que volvería a hacerle sentir en el casco la dulce caricia del Vístula.*

Estuviéramos donde estuviéramos, una cosa era clara: debíamos buscar el sur. Además, tenía que procurar que el barco no siguiera sufriendo el castigo de las olas, o que lo sufriera lo menos posible. Las nubes nos impedían averiguar la posición del sol. Sólo pude tratar de adivinar de dónde venía la poca claridad que había aquella tarde y suponer que aquello era más o menos el oeste. Para ir hacia el sur, por tanto, debía dejar aquella claridad a estribor y mantener el rumbo. Puse proa hacia donde debía estar el sur, según mis suposiciones, sujeté fuerte el timón y lancé el Cormorán *sobre las olas.*

—Creo que sé hacia dónde vas —dijo Mijaíl.

—Tendrás que ayudarme —le pedí yo— y avisarme si me desvío.

Daba una impresión terrible el mar que ahora atravesábamos, entre la lluvia y la espuma. Aquel mar no tenía nada que ver con la balsa de aceite que nos había parecido el Báltico hasta entonces. De pronto era una cordillera de montañas de agua que subían y bajaban, que nos embestían y desaparecían bajo nosotros, en medio de un ruido atronador. Y a pesar de ese ruido, oíamos una y otra vez los golpes tremendos que se llevaba nuestro barco y los crujidos de su quilla. Era casi imposible acostumbrarse a todo eso, y más para alguien que sólo había aprendido a sujetar el timón en la calma del río y que siempre había tenido a alguien experto al lado para corregirle y aconsejarle. Mijaíl, conocedor de mis limitaciones, me observaba de reojo, y creo que estaba dispuesto a relevarme en cualquier momento, aunque él no había llevado un barco antes y no era mucho más fuerte que yo. Pero me empeñé en resistir y conseguí que el Cormorán *cabalgara a duras penas sobre las olas. Los dos, Mijaíl y yo, íbamos atentos para descubrir cualquier claro en las nubes que nos confirmara dónde estaba el sol. Y cuando creíamos ver alguno, yo corregía el rumbo en aquella búsqueda casi febril del sur.*

No recuerdo cuánto tiempo duró. Sé que terminó por hacerse otra vez de noche, y que a partir de ahí no nos quedó más remedio que tratar de seguir apuntando en la oscuridad hacia donde veníamos apuntando toda la tarde. Luego, dejó de llover, y el mar se serenó un poco, pero todavía navegamos a ciegas durante horas. Llegó el momento del cansancio: los ojos se me cerraban, después de tantas horas de esfuerzo y sin dormir. Mijaíl quiso que descansara y ocuparse él, pero para arrancarme de aquel timón tendrían que haberme arrancado los brazos. Era mi barco, me repetía, para seguir despierto: su destino era mi destino, sus dificultades eran mi responsabilidad y eran por mi culpa, y lo último que podía hacer en el mundo era apartarme un solo segundo de él.

Cuando al fin vi aquella luz, creí que estaba soñando. Pero en seguida fueron dos, tres, cinco, siete. Todavía me resistía a creerlo y le pregunté a Mijaíl:

—*¿Las ves tú también?*

—*Sí, las veo.*

Ahora eran muchas luces, una línea de ellas que se alargaba en el horizonte.

—*Es la costa —dijo Mijaíl—. Madre mía. Ha sido un milagro.*

Y todavía hoy, Laura, sé muy bien que fue eso, un milagro, porque mientras avanzábamos sobre las olas no pudimos ver si íbamos hacia el sur o hacia el norte, ni si manteníamos el rumbo o lo cambiábamos a cada instante. Sólo soñábamos que íbamos hacia allí, hacia el sur, pero seguramente nos perdimos mil veces, navegamos en todas las direcciones y hasta en círculos, entre la espuma y el viento. Al final, y éste fue el milagro, acabamos yendo hacia donde debíamos, y ante la proa del Cormorán apareció aquella bendita línea de luces que era sin ninguna duda el camino del sur. Desde esa noche, para mí, no hay una imagen más hermosa del sur. Ni siquiera las playas doradas o los mares de color azul turquesa que salen en las películas. Desde esa noche, para mí el sur es una débil línea de luces que parpadean en la distancia, más allá del mar alborotado.

Mijaíl fue a decírselo a Jan y a Jakub, que estaban abajo, con los prisioneros. Al poco rato vino Jakub, eufórico. Se abrazó a mí con toda su alma.

—Lo has conseguido, capitán. Ya ves que no me equivoqué cuando te propuse.

Nunca te he dicho cómo era Jakub. Era un poco más bajo que yo, moreno, y tenía los ojos muy oscuros. Aunque te parezca extraño, también hay polacos así. Cuando me soltó, porque vio que su abrazo me impedía gobernar el timón, nuestras miradas se cruzaron. Sólo duró un segundo, porque en seguida tuve que volver la vista al frente para no perder aquellas luces que eran nuestra salvación, pero creo que nunca miré tan dentro de los ojos de Jakub como aquella noche. Casi nunca nos miramos muy dentro de los ojos, sólo en los momentos cruciales, porque cuando nos miramos muy dentro de los ojos los corazones se tocan, y normalmente eso nos asusta un poco y nos hace dudar de nuestro propio corazón. Pero esa noche no me importaba, sino todo lo contrario, que mi corazón se tocara con el corazón de aquel amigo que me avergonzaba y a la vez me sal-

vaba con su gratitud. No tenía ninguna duda de mi cora-
zón, en el que iba a llevarle siempre.

—*Gracias, Jakub. No voy a olvidar esta noche* —*le dije,*
y tuve que hacer grandes esfuerzos para no romper a llorar,
aunque quizá en una situación así no esté terminantemen-
te prohibido que a un capitán se le salten las lágrimas.

—*Ni tú ni Róstov* —*se burló Jakub, tratando de quitar-*
le solemnidad a mi promesa—*. No ha parado de vomitar*
desde que empezó el ajetreo. A estas alturas debe estar vo-
mitando ya su primera papilla. Como marinero, nos ha sa-
lido un poco delicado.

—*Pues habrá que llevarle a un médico cuanto antes, al*
pobre Róstov —*me burlé yo también, y forcé la marcha ha-*
cia las luces.

Por suerte, el mar se había calmado bastante, y pudi-
mos llegar a menos de un par de millas de la costa con rela-
tiva rapidez. Era una alegría increíble volver a tener tan
cerca la tierra. Mijaíl, para entonces, estaba otra vez en el
puente, y recurrí a su experiencia:

—*¿Sabes qué es?*

Mijaíl se encogió de hombros.

—*Puede que sea Rusia, todavía. Quién sabe. Sigue la*
costa hacia estribor y esperaremos a que amanezca.

En los últimos dos días había dormido sólo unas pocas
horas. Pero así estaban también los demás, y en alguna par-
te nuestros compañeros necesitaban que llegásemos cuanto
antes a nuestro destino. Eran dos razones poderosas para
mantenerme en pie. Seguimos la costa durante varias ho-
ras antes de que el sol apareciera en el horizonte. Salió por
popa, tiñendo de morado los restos de nubes que quedaban
de la tormenta del día anterior.

—*Vamos hacia el oeste* —*dedujo Mijaíl.*

—*¿Y eso es bueno o malo?* —*preguntó Jakub.*

—*Depende. Con esa dirección, podríamos estar todavía*
a la altura de Pionerski.

—No puede ser —traté de discutir—. Llevamos casi un día navegando.

—Sí, pero durante gran parte de ese día no sabemos hacia dónde navegábamos.

Era cierto. Lo intenté de otra forma:

—¿Y la costa? ¿Es así la costa de Pionerski?

—No sé —vaciló Mijaíl—. Todavía está oscuro, y hace muchos años que estuve por allí. Diría que no puede ser tan baja. Pero no me fío. Quizá deberíamos acercarnos más.

Nos acercamos. A medida que el sol subía, el panorama se iba aclarando. Al fin distinguimos, en aquella costa aplastada, una forma inconfundible.

—Es la desembocadura de un río. De un río enorme —dijo Jakub.

—¿Un río? ¿Hay un río así en Pionerski?

Mijaíl no contestó. Se quedó contemplando aquella desembocadura que el amanecer nos iba descubriendo, como si la estuviera soñando. De pronto, la luz se hizo en mi cerebro, y comprendí por qué el mar estaba tan calmado desde hacía horas. Habíamos entrado en una bahía, y eso quería decir que aquélla no podía ser la costa de Pionerski, que daba al mar abierto. Vi los ojos de Mijaíl. Estaban a punto de desbordarse.

—Claro que no hay un río así en Pionerski —dijo al fin—. Es el Vístula.

Esta vez el capitán, como el resto de la tripulación, no fue capaz de contener sus lágrimas. La bahía por la que navegábamos desde hacía horas era la bahía de Gdańsk.

16

Algún día,
cuando pueda llevarte a Varsovia

Entramos en Gdańsk desde el mar, por la misma boca por la que habíamos salido. Polonia nos recibió con una mañana tan luminosa como la de nuestra partida de Varsovia, o más luminosa todavía, porque habíamos deseado tanto aquella luz que nada que hubiéramos visto antes podía compararse. El Cormorán entró con toda elegancia en el puerto y en la ciudad, y al empujarle desde los mandos podía sentir su gozo por volver a saborear el agua del río. El agua dulce del Vístula, al fin, aunque todavía estuviera mezclada con la sal del Báltico, en aquel brazo del delta que la gente de Gdańsk llamaba el Vístula Muerto. La tripulación, o lo que quedaba de ella, en pie sobre la cubierta, observaba orgullosa el resto de los barcos, que podían ser más grandes y más poderosos, pero que a buen seguro nunca habrían hecho una proeza como la que acababa de hacer nuestro pequeño barco de río. Libre de la carga que habíamos tirado al mar, y a pesar del castigo que llevaba sobre sus costillas, el Cormorán avanzaba ligero entre los muelles. Al fin vi unas lanchas de la policía y me dirigí sin perder un minuto hacia allí. Porque teníamos razones para estar contentos, pero también para llevar el alma en vilo y correr a pedir ayuda. Hacía casi dos días que nos habíamos separado de nuestros compañeros y la última vez que los habíamos visto había sido en poder de Dobrinin y de Yusúpov y de sus secuaces.

Nunca había hecho una maniobra tan delicada como aquélla de atracar junto a las lanchas de policía, y seguramente fui algo más brusco de lo debido, porque antes de que pudiéramos bajar a tierra se asomaron unos policías, bastante alarmados.

—Eh, ¿qué hacen ahí? —preguntó el que parecía ser el jefe.

Mijaíl saltó en seguida y trató de tranquilizarles. No había que perder tiempo, porque quizá nos costase que creyeran nuestra historia. En cuanto Jan y Jakub amarraron el barco al muelle, con ayuda de uno de los policías, paré el motor y fui a tierra.

Cuando llegué a su lado, Mijaíl, sorprendentemente, no hablaba, sino que escuchaba al jefe de los policías. Y el jefe de los policías le iba diciendo:

—Llevamos buscándoles desde anteanoche. Los lituanos, los rusos, nosotros, todo el mundo. Ya les dábamos por perdidos.

—¿Y los demás? —pregunté, ansioso.

—Están bien —respondió Mijaíl, a la vez aturdido y aliviado—. En Lituania.

Cuatro policías subieron a bordo del Cormorán. Llevaban metralletas y pistolas y se dirigieron a los camarotes.

—¿En Lituania? ¿Y qué hacen allí?

—La policía lituana los tiene retenidos para tomarles declaración —nos informó el jefe de los policías—. Pero ya nos han dicho que no hay nada contra ellos. Les dejarán salir mañana o pasado. Les enviarán en avión directamente a Varsovia.

Estaban bien, iban a mandarles de vuelta a Varsovia. Así, como si nada, aquel hombre dijo las palabras mágicas, y al oírlas, aparte de la alegría y la emoción, sentí que me quitaban un peso infinito de encima. El peor peso que nunca había llevado. Por fin iba a poderme olvidar de aquella brújula que dormía en el fondo del Báltico. O no, nunca podría olvidarla; pero no iba a recordarla de la misma forma. Afortunadamente.

—¿Y la mercancía? —preguntó el jefe.

—La mercancía la tiramos al mar —respondí yo.

—¿Quién eres tú, chaval?

Aunque aún podía considerarme moralmente el capitán del barco, porque no estaba el titular y porque todavía había que llevar el Cormorán hasta Varsovia, para contestarle al jefe supuse que era mejor volver a mi modesta realidad cotidiana:

—Soy el hijo del capitán.

—¿Ah, sí? Pues tu padre se la jugó bien.

En ese momento bajaron del barco a Róstov y a los otros dos. Los policías les habían desatado, pero en lugar de las cuerdas les habían puesto unas esposas. Róstov ofrecía bastante mal aspecto, pálido y desencajado. Los otros dos no tenían mejor pinta.

—¿Por qué se la jugó? ¿Qué ha pasado? —quise saber, con impaciencia.

Pero la historia, con todos los detalles, la supimos después, cuando nos la contaron los nuestros. Después de abandonar el barco, mi padre llevó la lancha directamente hacia el puerto más próximo, que resultó ser un pueblo llamado Neringa-Nida, al sur de la costa lituana del Báltico y ya muy cerca de la frontera con Rusia. Allí, según lo previsto, intentaron encontrar la pieza. Yusúpov y los dos hombres se quedaron con Stefan y Stanislaw en la lancha y Dobrinin fue con mi padre. Antes de salir, le enseñó dónde llevaba la pistola, con la que le dispararía si intentaba algo. Era un pueblo muy pequeño. Lo recorrieron de punta a punta, pero no dieron con lo que buscaban. Entonces Dobrinin le ordenó a mi padre que se quedara quieto y sacó su teléfono móvil.

—Si esto funciona —dijo—, vamos a dejarnos de tonterías. Pediré que vengan a recogernos con otro barco y les devolveremos su chatarra para que se arreglen como puedan. Lo siento, capitán, pero a nosotros no nos sobra el tiempo.

En ese momento mi padre vio a lo lejos las luces de un coche de policía. Eran unos policías lituanos que venían de hacer su turno en la frontera. Dobrinin estaba marcando y al hacerlo se descuidó un segundo. Fue suficiente. Mi padre le sacudió un puntapié al teléfono móvil, lo que desorientó a Dobrinin y le dio ocasión de escapar. Echó a correr hacia los policías, llamándoles a gritos. El coche se paró y mi padre pudo llegar hasta ellos. Aunque le pedí que me lo explicara, porque me parecía un detalle importante, no supo decirme si Dobrinin tuvo o no tuvo tiempo de dispararle mientras corría. Le dejó pendiente de la trayectoria que seguía el teléfono móvil, después de la patada, y tras eso el ruso debió tardar algo en sacar la pistola de su cazadora, pero no podía asegurar que no hubiera podido utilizarla, si hubiera querido. Desde luego, mi padre tuvo que correr un buen trecho hasta llegar donde estaban los policías. Por alguna extraña razón, porque es algo que yo mismo no alcanzo a entender muy bien, prefiero creer que Dobrinin sí tuvo tiempo de dispararle a mi padre, y no lo hizo. Si tengo que elegir entre pensar que no tuvo los bastantes reflejos o que le apuntó y se arrepintió, elijo lo segundo, porque coincide con lo que yo había intuido en él y porque Dobrinin, aunque fuera un delincuente, siempre me pareció mejor que los otros. A su modo, también él era un buen capitán, como mi padre, o como yo aspiraba a ser algún día, y lo que pasó después lo confirmó sobradamente.

Con más o menos dificultades, mi padre logró hacerse entender por los policías lituanos, pero cuando trataron de ir por Dobrinin, el ruso ya había desaparecido. Entonces mi padre les dijo que dos compañeros suyos estaban en una

173

lancha, junto a la playa, en poder de otros tres rusos. Los policías lituanos pidieron refuerzos y salieron hacia allí.

A partir de aquí, teníamos el testimonio de Stefan y Stanislaw. Según nos contaron, tras la marcha de Dobrinin y mi padre, Yusúpov fue poniéndose cada vez más nervioso.

—Dobrinin se ha vuelto imbécil —se le llegó a escapar, o más bien quiso que Stefan y Stanislaw lo oyeran, porque lo dijo en polaco—. Cómo hemos podido dejarnos meter en esta ratonera. En este pueblo de mierda no encontraremos nada.

—¿Y qué íbamos a hacer? —dijo uno de los otros dos hombres.

—Cualquier cosa. Darles un escarmiento. Estoy convencido de que éste —y señaló a Stanislaw— rompió la pieza y guarda otra de repuesto.

—Suponiendo que la rompiera, ¿cómo sabes que no tiró después la pieza de repuesto al mar? —sugirió el otro—. Hemos registrado el barco de arriba abajo. No hay otra pieza. Y si no hay otra pieza, no ganamos nada ensañándonos con ellos. Yo estoy de acuerdo con Dobrinin. No tengo ganas de dispararle a nadie para no arreglar nada.

—No sé si te darás cuenta, Yuri, pero desde que andamos con Dobrinin, nos hemos vuelto muy escrupulosos —gruñó Yusúpov—. Y eso nos perjudica.

Stanislaw y Stefan asistían a esta discusión bastante intranquilos. A Yusúpov y al tal Yuri podían entenderles porque seguían hablando en polaco, Yusúpov para intimidarles y Yuri posiblemente por lo contrario, para que no temieran. El otro hombre hablaba sólo ruso, pero deducían de las respuestas de Yusúpov que también estaba del lado de Dobrinin. Con tal de que Yusúpov siguiera en minoría, la cosa no iba del todo mal. Aquellas disensiones entre los rusos, mientras estaban los cinco en aquella lancha en la playa, en medio de la oscuridad, no eran ninguna broma. Y mucho menos cuando cada uno de los tres llevaba un arma con el seguro quitado y lista para entrar en acción.

Así esperaron, cada vez más tensos, hasta que vieron venir corriendo a Dobrinin, solo. Mi padre dijo que era asombroso que hubiera podido llegar corriendo antes que la policía, que iba en coche. Tuvo una pequeña ventaja mientras los policías se entendían con mi padre y daban el aviso, pero aun con eso fue toda una exhibición de velocidad. Cuando Yusúpov vio que Dobrinin venía sin el prisionero, masculló:

—Ya está. Ya la hemos cagado.

Un minuto después, mientras Dobrinin recorría los últimos metros por la playa, empezaron a sonar las sirenas, acercándose.

—Cagado y bien cagado —repetía Yusúpov, golpeando de una forma bastante temeraria la borda de la lancha con su revólver.

Dobrinin llegó jadeante.

—Estamos muy cerca de la frontera —dijo—. Hay que tratar de llegar hasta allí.

—Pues salta dentro de una vez —le gritó Yusúpov.

Dobrinin se irguió y le clavó una mirada de hielo a Yusúpov. La sirena sonaba cada vez más próxima, pero de pronto pareció que el jefe de los rusos no tenía prisa.

—¿Qué te pasa, Yusúpov? —preguntó, distante—. ¿Desde cuándo me das órdenes?

Yusúpov se quedó seco.

—Está bien —se apiadó Dobrinin—. Vosotros dos, bajad.

Los dos en cuestión eran Stanislaw y Stefan.

—¿Vas a dejarlos aquí? —no pudo evitar decir Yusúpov, aunque se arrepintió en el acto.

—¿Para qué quieres llevarlos, para ir más lento? —se mofó Dobrinin.

Stefan y Stanislaw saltaron a tierra. Entonces Dobrinin comprobó el cargador de su pistola y volvió la mirada hacia el pueblo. Las luces giratorias de los coches de policía se veían cada vez a menos distancia.

—Dame otro cargador, Yuri —pidió.

Le dieron el cargador. Dobrinin se lo metió en el cinturón y les dijo:

—Venga. Largo de aquí. En aquella dirección, y no paréis hasta Rusia. Cuando volváis a casa, les pedís que me ayuden, si todavía queda algo a lo que ayudar.

Dobrinin sonreía, y sus dientes relucían en mitad de la noche. Stefan, que siempre ha sido un observador muy meticuloso, recordaba un detalle casi increíble: las luces de la policía reflejadas en aquellos dientes. Yuri dijo:

—¿No vienes tú?

Dobrinin meneó la cabeza.

—Alguien tiene que cubrir la retirada, o nos cazarían como conejos. No pensaréis que vais a ser uno de vosotros, cuando he sido yo quien ha metido la pata.

Al final los rusos arrancaron la lancha y se alejaron. Stefan también me dijo que había que ver la cara de bobo que se le había quedado a Yusúpov. Hasta que los perdieron de vista no dejó de mirar con aquella cara hacia la playa, desde la popa de la lancha. Dobrinin acababa de demostrarle con toda contundencia por qué era él el jefe.

—Y ahora —se dirigió a Stanislaw y a Stefan—, vosotros dos poneos ahí, bien a cubierto, y no asoméis la cabeza por nada del mundo. Va a haber ruido durante un rato, pero no va a pasaros nada. No soy tan estúpido como para hacerme juzgar por un homicidio.

Y ruido, como prometió Dobrinin, lo hubo. Aguantó a los lituanos durante cerca de diez minutos, dosificando sus balas al máximo. El ruso se divirtió haciendo puntería sobre las luces de los coches. A cada disparo sucedía un ruido de cristales rotos. Cuando se le agotó la munición, tiró la pistola donde los otros pudieran verla y gritó:

—Ya no me queda más. Me rindo. Voy a salir.

Se irguió poco a poco, con las manos bien altas. Los lituanos cayeron sobre él y le esposaron sin miramientos. Stefan y Stanislaw salieron de su escondite y se reunieron con mi padre. Tuvieron oportunidad de ver todavía a Dobrinin, mientras se lo llevaban.

—Ya ve, capitán —dijo Dobrinin, deportivamente—, lo ha conseguido. Le felicito por su valor, pero otra vez tenga más cuidado. Podría estar al mando alguien más duro que yo.

De esa forma, con Dobrinin en la cárcel en Lituania, con Róstov y los otros dos en la cárcel en Polonia, y con Yusúpov y el resto huidos gracias al sacrificio de su jefe, terminó el secuestro del Cormorán. Cuando pienso en este resultado, me acuerdo de las películas, en las que siempre caen todos los malos y sobre todo los peores de los malos. En este caso no había nada que objetar a la suerte de Róstov, que desde el principio nos había revuelto las tripas a todos, pero me daba un poco de pena que Yusúpov estuviera libre mientras atrapaban a Dobrinin. Ya sé que lo deseable era que hubieran cogido a toda la banda, y que Dobrinin, que era el jefe, merecía como nadie el castigo que pudiera recibir. Pero ya que uno de ellos iba a librarse, no debería haber sido Yusúpov. Puede ser una bobada, o algo que ni siquiera hay que pensar, pero sin duda era preferible que la tripulación del próximo barco que secuestraran tuviera que tratar con Dobrinin y no con Yusúpov. Y no es eso que llaman el síndrome de Estocolmo, esa simpatía que por lo visto sienten los secuestrados por los secuestradores, porque Yusúpov y Róstov nos habían secuestrado igual y nunca consiguieron serme simpáticos. Lo que me pone de parte de Dobrinin son aquellos paseos solitarios que le vi dar por cubierta, mientras atravesábamos el Báltico. De todos ellos, y su conducta lo prueba, era el único que sabía sentir la responsabilidad de lo que hacía. Lo que hacía no estaba bien, pero la responsabilidad le honraba. Después de haber perdido la brújula, y de haber luchado contra el mar y de haber conseguido traer nuestro barco hasta casa, había aprendido en mis propias carnes el valor de la responsabilidad. Ahora sabía lo que era velar por otros; sabía lo terrible que era fallar, pero también lo que recompensa entregarse a alguien que cree en ti y merece todos tus esfuerzos.

Los policías de Gdańsk no nos felicitaron por haber tirado la carga en alta mar. Según ellos, con eso desaparecían las pruebas de tráfico de armas, y sólo podrían juzgar a los detenidos por secuestro. Mijaíl, como único adulto a bordo, asumió todas las culpas. Les explicó a los policías, y los policías terminaron por entenderlo, que si no nos hubiéramos deshecho de la carga lo más probable habría sido que el **Cormorán** se hubiera hundido. Ésa era la razón por la que mi padre me había pedido que tirásemos las cajas al agua, aunque Jan, Jakub y yo lo hubiéramos tomado como una especie de juego.

Estuvieron interrogándonos todo el día. Por la tarde nos dijeron que no iban a necesitarnos más por el momento y que éramos libres de volver a Varsovia, suponiendo que nos considerásemos capaces de llegar.

Mijaíl hizo como si no comprendiera bien.

—Si creen que los que quedan pueden llevar el barco hasta allí, quiero decir —aclaró el jefe de los policías—. Si no, podemos buscar a alguien para que les ayude.

—No necesitamos ayuda, señor —dijo Mijaíl, ofendido—. Hemos salido de una tempestad en el Báltico. El Vístula es nuestro elemento.

Pero lo cierto era que estábamos todos rendidos. Por eso, en vez de salir inmediatamente, decidimos echarnos un rato a dormir. Yo caí sobre mi cama como si de pronto se me acumulara en la cabeza y en el resto del cuerpo el cansancio de todos aquellos días. Más que dormirme, yo diría que me desplomé, y a los demás les pasó lo mismo.

Era todavía de madrugada cuando me desperté. Estaba atontado, pero mejor. Había dormido casi nueve horas. Me acordé de que mi padre y los demás podían llegar a Varsovia en cualquier momento, y de que todavía teníamos muchos kilómetros de río hasta allí. Fui a despertar a los demás.

—Vamos, todavía no hemos terminado —les dije a Jan y a Jakub, que al principio remoloneaban entre las sábanas. A Mijaíl, por contra, no tuve que despertarle. Antes de que le sacudiera se levantó y se me quedó observando.

—¿Adónde, capitán? —preguntó, risueño.

—A casa —respondí, con toda mi alma—. Sin parar hasta Varsovia.

Abandonamos Gdańsk antes del alba. Tan pronto como Jan y Jakub desataron las últimas amarras y saltaron dentro del barco, lo saqué de allí y busqué el camino entre los muelles. Tras recorrer el Vístula Muerto en la quietud de la madrugada, el amanecer nos cogió ya en el propio Vístula, remontando a toda máquina la corriente. Era agradable subir contra aquella fuerza que venía siempre de frente y constante, tan distinta de los locos zarpazos del Báltico. También me gustaba ver a los dos lados las riberas, que nos protegían del temor a perdernos. Aquí el rumbo era uno, seguro: contra el río, siempre hacia arriba.

El viaje, Laura, ya lo conoces. Pasamos por los mismos sitios por donde habíamos pasado a la ida: por Toruń, por el lago Włocławskie, al lado de las iglesias y los bosques y las fortalezas en ruinas. Lo hicimos en dos partes, parando sólo unas horas para descansar entre medias. Salvo esas horas, apenas solté los mandos. La vibración de los motores del **Cormorán** se me metió de tal forma en los huesos que tardó muchos días en apagarse. Y nunca iba a apagarse del todo. Todavía la siento, de vez en cuando, en mitad de la noche.

Entramos en Varsovia por la mañana, y era la mañana de primavera más fantástica que nunca había visto en mi ciudad. Subimos por el río bebiéndonos con los ojos aquellas orillas tan familiares, que en algún momento habíamos creído que no volveríamos a ver. Esta vez, en la proa, no iban Yusúpov ni Róstov disfrutando del paisaje, sino Jan y Jakub, cada uno con el brazo sobre el hombro del otro. Mijaíl estaba a mi lado y respiraba hondo a cada trecho, mientras avanzábamos hacia nuestro destino.

No puedo describirte cómo era, todo lo que era. Algún día, cuando pueda llevarte a Varsovia, subiremos al puente de un barco, una mañana de primavera que se parezca a aquélla, y navegaremos contra el Vístula, para que puedas verlo con tus propios ojos y saberlo como aquella mañana lo supimos nosotros. Algún día, Laura, no harán falta las palabras. Te llevaré allí y lo tendrás delante. Te lo prometo.

En el muelle nos esperaban Stefan, Stanislaw y el capitán. Nos ayudaron a amarrar el barco y saltaron a bordo. Todos queríamos abrazarnos, comprobar que no era un sueño. Pero antes de abrazar a mi padre, tuve tiempo de decirle:

—Aquí está su barco, capitán. Lo hemos traído de vuelta, como nos ordenó.

En medio de la celebración del reencuentro, pocos se fijaron en Mijaíl. Después de los saludos, se arrodilló sobre la cubierta del Cormorán y la besó. A continuación bajó a tierra, sin prisa. Nunca más volvió a subir a un barco.

17

Resumen de noticias

Andrés, ahora que había llegado al final de su historia, se quedó callado. Antes de nada, quizá tenga que advertir, para quienes no hayan notado que se ha terminado la cursiva, que vuelvo a ser yo, Laura. Y ahora retomo la historia que interrumpí para dejar paso a la historia de Andrés y de su barco, el *Cormorán*. Pero tal vez conviene que advierta también que no la retomo exactamente cuando la interrumpí, en una tarde de domingo de enero, sino algún tiempo después; para que os situéis, en otra tarde de domingo, pero de finales de marzo, que fue cuando Andrés acabó el relato de su viaje por el Vístula y el Mar Báltico. El sitio, sin embargo, es el mismo: mi atalaya entre los pinos. Y a nuestros pies estaba otra vez Madrid, y el sol iba cayendo a nuestra izquierda, aunque aquélla, claro, ya no era una tarde de invierno, sino una de las primeras tardes de la primavera, así que el sol tardaba un poco más en ponerse. Además, yo ya casi no tenía catorce años, porque me faltaban sólo siete días para cumplir quince. Y otra cosa que había cambiado era que aquel chico ya no era para mí un desconocido, sino alguien que me había enseñado durante horas y horas su corazón. Es tan raro que alguien te enseñe su corazón ni siquiera medio minuto que creo que debo destacarlo como algo que importa bastante.

Cuando Andrés se quedó callado, supe que era el final de la historia. Ninguno de los otros domingos se había quedado callado así. Hablaba y hablaba, sin prisa, pero sin parar nunca. Me hablaba de sus compañeros, de los traficantes rusos, de todos aquellos legendarios lugares del norte: Toruń, Gdańsk, Riga, Pionerski. Y la música que iba componiendo con esas palabras, al repetirlas una y otra vez (Varsovia, el Vístula, el Báltico), aquella música en la que yo flotaba, sonaba todo el tiempo, hasta que el sol se ponía y teníamos que irnos y me tocaba esperar al otro domingo para que siguiera. Aquella tarde, sin embargo, todavía faltaba bastante para la puesta del sol, y Andrés se había callado.

Dejé que pasaran unos minutos. En realidad había tiempo. Repasé la historia, buscando en mi memoria no sólo el último trozo, el de aquella tarde, sino los de las tardes anteriores. Los recordaba bien, en realidad. Todos los domingos por la noche, cuando llegaba a mi casa, anotaba de un tirón lo que Andrés me había contado ese día. Luego, durante la semana, revisaba mis notas y las iba completando. Y cada dos o tres días las releía. Nunca me cansaba de releerlas. Por supuesto, esas notas me han servido mucho, a la hora de escribir el libro, aunque no pude registrar todo lo que decía ni como lo decía, e incluso me parece que al escribir algo que se oye es inevitable deformarlo un poco, porque por muy modesta escritora que yo sea, siempre se tienen pretensiones literarias (incluso Andrés las tenía, y a veces, al hablar, se le notaban los libros que leía en español). Pero a lo que iba, que pierdo el hilo, es que al repasar la historia que Andrés me había contado durante todas aquellas tardes de domingo, encontré que aquél era desde luego el final justo, y no tuve ninguna duda de que con eso su historia quedaba redonda y no había más que añadirle. Aquel final era emocionante y me había gustado mucho, sobre todo cuando la llegada a Varsovia. Pero yo quería saber más, y para averiguarlo, ahora que él había terminado, no me quedaba más remedio que preguntar. Por eso antes me aseguré:

—¿Y ya está?

Andrés pareció sorprendido.

—Claro —contestó—. Con eso se cierra el viaje. Ésa es la historia.

—Pero ésa no es la historia en la que habíamos quedado.

—¿Y cuál era, entonces?

—Ibas a contarme por qué os fuisteis de Polonia.

La vista se le perdió a lo lejos y se le quedó allí.

—Ah, eso —dijo—. No me acordaba.

—No me dirás ahora que me has contado una historia que no tiene nada que ver.

—¿Tanto te importaría?

Aquella pregunta me cogió desprevenida. Pero sólo podía darle una respuesta:

—No. No me importaría nada que ahora me contaras otra historia diferente.

Andrés mantuvo unos segundos su sonrisa misteriosa.

—La historia es ésta, la que te he contado —dijo—. Sólo pasa que para explicar por qué nos fuimos de Polonia hay que seguir con lo que hubo después del viaje. Y ese trozo ya no es tan bueno, por eso prefiero cortarlo siempre.

—¿Y no puedes hacer un esfuerzo para mí?

Andrés se volvió y me miró con una especie de cariñosa atención. Había empezado a mirarme así a partir del tercer o cuarto domingo, y yo todavía no había acertado a averiguar qué podía hacer cuando me caía encima esa mirada. Todavía me desconcertaba y tenía que bajar los ojos, como una pardilla.

—Por ti puedo hacer todos los esfuerzos —aseguró, muy serio, y después de un momento de concentración, siguió contando—: Pues bien, como te he dicho, conseguimos devolver el *Cormorán* al puerto de Varsovia, y allí estaban nuestros compañeros, esperándonos. En Lituania les habían tratado bien, aunque habían sido un poco pesados, al final. Habían tenido que declarar cinco o seis veces, y hasta les habían obligado a confrontar su versión con la de Dobrinin, algo bastante inútil, porque Dobrinin no había abierto la boca más que para sostener con toda tranquilidad que él se dedicaba por lo general al comercio de sellos y de vez en cuando al de billetes antiguos, y que había disparado a los policías porque sufría una enfermedad que le hacía perder la cabeza cuando veía luces de colores dando vueltas. El caso es que una vez que nuestros compañeros habían podido convencer a los lituanos de que no tenían nada más que aportar, les habían montado en un avión y ahora allí estaban. También estaban en el puerto nuestras familias, y muchos amigos, y un buen montón de gente desconocida, porque la cosa había salido en los periódicos y nos habíamos hecho casi famosos. Pero había alguien que, curiosamente, no estaba: el señor Oborniki.

—¿El dueño del barco?

—Exacto. Al principio la investigación fue más o menos despacio, pero una semana después, al señor Oborniki le detuvieron cuando intentaba pasar la frontera. Resulta, y no era muy difícil suponerlo, que Oborniki sabía perfectamente lo que iba en las cajas, y que nos había enviado con Yusúpov y con Róstov a sabiendas de que se proponían secuestrar el barco y llevarlo a algún puerto del Báltico. Había cobrado mucho dinero por prestar su barco a la jugada, y por prestarnos de paso a todos nosotros.

—Os alegraría que le detuvieran, entonces.

—A mí sí. Sin embargo, apenas supimos la noticia, mi padre dijo: «Tenía que pasar, y ha pasado y bien está, porque es justo. Pero no es para brindar con champán». Yo no sabía a qué se refería con eso, pero lo supe un par de días después. La policía confiscó el *Cormorán* y toda la tripulación se quedó en la calle. Y era un mal momento en Polonia para quedarse en la calle. Entonces entendí por qué mi padre había querido resistirse a creer que aquellos rusos y aquella carga no eran de fiar, cuando se lo había avisado Mijaíl, y por qué no se había alegrado de que detuvieran a Oborniki. En vano buscó trabajo en otro barco. Ya no había barcos disponibles, incluso muchos los mandaban al desguace, porque en cuanto los dueños no ganaban el dinero suficiente o tenían problemas se deshacían de ellos. Los dueños no sentían por los barcos el amor que mi padre o cualquiera de nosotros sentía por el *Cormorán*, sólo querían el dinero que valían y el que podían darles, y si la única forma que tenían de sacar ese dinero era venderlos como chatarra, pues iban y los vendían. Por eso mi padre terminó por hacerse albañil, pero con el sueldo que le pagaban no nos llegaba para nada, aunque mi hermana dejó el violín y buscó también trabajo. Un día, en la obra, alguien le habló de España, adonde venían bastantes polacos y se ganaba mucho más dinero. Esa tarde, mi padre me pidió mis libros de español. Durante un par de meses, se encerró con ellos todas las noches. Y otro día cogimos el coche y vinimos aquí. Así fue, Laura, como los rusos y el viaje que te he contado fueron los que provocaron que abandonáramos nuestro país. Ahora sabes por qué prefiero cortar la historia.

Ahora lo sabía, y sabía también a lo que se refería la mañana después de que le pegaran la paliza, cuando había ido a verle y me había dicho que él había tenido que aprender a perder de verdad, y a levantarse a pesar de haber perdido. Pero todavía me quedaba algo por saber. No quería preguntárselo y a la vez tampoco podía contenerme:

—¿Y qué fue del *Cormorán*?

—El *Cormorán* —repitió Andrés, con un suspiro—. Te contaré cuándo fue la última vez que vi el *Cormorán*. Fue la semana antes de salir para acá. Una tarde mi padre vino un poco antes de lo habitual y me preguntó si quería salir a dar un paseo con él. Fuimos por la ribera del río hasta el puerto. A mi padre le gustaba hacer aquel paseo de vez en cuando, para ver los barcos y no olvidarse de que había sido capitán de uno. Pero esa tarde no íbamos como otras, sin un rumbo concreto. Esa tarde mi padre me llevaba a despedirnos del *Cormorán*. Estaba acostado a un muelle, y había unos hombres trabajando sobre cubierta. Cuando nos acercamos un poco más, vi lo que estaban haciendo aquellos hombres: estaban empezando a desarmarlo. «Ya ves —dijo—, lo van a liquidar como chatarra.» Mi padre se quedó allí, mirando, durante un buen rato. En ese tiempo debió acordarse de los diez años que había pasado en aquel barco que ahora unos hombres extraños desguazaban. Yo, por lo menos, me acordaba de cómo se había defendido, tan valiente, sobre las aguas enfurecidas del Báltico, y de su último viaje por el Vístula, durante los pocos días en los que yo había sido su capitán. El *Cormorán*, indefenso y abandonado, era la imagen más triste que había visto en mi vida. Pero mi padre, que se estaba despidiendo de diez años enteros, no demostró ninguna tristeza. Estuvo allí mirándolo y después se dio media vuelta y dijo: «No lo recordaremos así, sino como era. Un buen barco, que subía alegre por el río». Y así es como yo lo recuerdo. Esto te lo cuento sólo porque me lo has preguntado.

Andrés lo decía de veras. Ni siquiera parecía apenarle aquella imagen, que a mí también me parecía la más triste del mundo, después de haberme imaginado al *Cormorán* en todas las aventuras y hazañas que Andrés había reconstruido para mí.

Ahora sí que se nos acababa aquella tarde de domingo. El sol se escondía y tendríamos que levantarnos, como todos los domingos, y cruzar la explanada antes de que la cerraran, para volver a Getafe. Y diez minutos antes de llegar a nuestro bloque nos separaríamos, y después de eso... ¿Qué iba a pasar después de eso?

—¿Y ahora qué? —pensé en voz alta.

—¿Qué quieres decir?

—Ya me has contado tu historia. Qué vamos a hacer ahora.

Andrés se encogió de hombros.

—No sé. A mí me gusta venir aquí. Podemos seguir viniendo.

—¿Y?

Por una vez, tenía ganas de ponerle en un aprieto, de marcar yo el ritmo. Habíamos ido allí, una semana tras otra; me había contado su viaje, con todo lujo de detalles y sin ocultarme sus sentimientos más profundos sobre todas aquellas cosas que me contaba; y sin embargo, tenía la sensación de que algo de él se me escapaba siempre.

—Bueno —dijo, apurado—. Y venimos. ¿No es bastante?

Puse cara de circunstancias y fingí recordar en ese momento:

—Mi padre me aconsejó que no me encariñara mucho con quien está de paso, porque quien está de paso se acaba yendo siempre.

—¿No quieres que nos veamos más? —preguntó, desorientado.

—Claro que quiero, idiota. Pero ahora se te tendrá que ocurrir otra idea. Anda, vámonos, que van a cerrarnos.

Me levanté y le tendí la mano. Nunca lo había hecho, pero él me la cogió como si hubiera estado cogiéndomela toda la vida. Con aquella mano en mi mano (era fina y fuerte), de repente tuve el valor de decir lo que deseaba decir:

—Por si te sirve como pista, el próximo domingo es mi cumpleaños.

La semana siguiente, como las semanas anteriores, me tocó vivir la rutina de todos los días, pero desde que al final de cada semana me esperaban aquellas tardes de domingo, ni siquiera la rutina me molestaba mucho. Y una cosa rara era que no sentía exactamente impaciencia porque llegara el domingo. A veces hasta me sorprendía disfrutando de que no terminase de pasar la tarde del viernes o del sábado, porque eso quería decir que el domingo estaba todavía ahí, delante de mí, con todas sus promesas intactas. En realidad, el único día de la semana que no me gustaba era el lunes, porque en todo el lunes no se me quitaba la sensación de que el domingo se había ido. El martes ya se me pasaba ese regusto a domingo gastado y empezaba a pensar en el domingo siguiente.

En marzo, mis amigas y yo ya éramos veteranas del instituto. Yo había levantado todos los ceros que me había costado al principio aquel asunto de Polonia y de Andrés, y hasta habíamos descubierto que a medida que pasaba el tiempo el hueso de Dibujo se iba ablandando, porque perdonaba los borrones y procuraba fijarse más que nada en si la idea general estaba bien asimilada. Es lo que pasa con el tiempo, por suerte, que la gente te coge cariño y no puede seguir tratándote de cualquier manera. Incluso dejamos de hacer dibujo lineal, con el compás y las reglas, y el ex hueso nos llevó un día al Cerro de los Ángeles y nos dijo que cada uno dibujara a mano alzada el paisaje que más le gustase. Había que verle, a él que había sido el hueso de todos los huesos, animando incluso a los más negados, a los que había acribillado sádicamente a ceros en las primeras evaluaciones. En cuanto a las Ciencias Naturales, el otro coco del curso, a base de darle y darle acabamos sabiéndonos los moluscos más repulsivos y conseguimos distinguir el aparato bucal de los himenópteros del de los dípteros como el día de la noche. A mí, personalmente, dejaron de interesarme para siempre las mariposas, pero hubo gente que se aficionó a coleccionar escarabajos. Es lo malo del saber, que nunca adivinas a qué manías puede llevarte.

En cuanto a Irene y a Silvia, las mantenía desde luego informadas de todo lo que iba sucediendo con Andrés, aunque quizá no con la profundidad con la que os lo he contado a vosotros, porque me parecía que había cosas confidenciales que debía llevar con discreción. Es curioso que esas mismas cosas las ponga ahora en un libro, para que las lea todo el mundo.

Pero eso es lo que pasa con las cosas confidenciales, que lo mismo pueden guardarse en el fondo de una que escribirlas en un libro, porque en realidad los libros no los lee todo el mundo. Los libros los lee gente que sabe entender y guardar en el fondo de sí misma las cosas confidenciales. Los que no, ni los abren, o si los abren los dejan en seguida. Espero que Irene y Silvia lean este libro y entonces sabrán todo lo que no les contaba entonces. Pero ya no será lo mismo que si se lo hubiera contado en cuanto sucedía, como un chisme. Lo leerán a solas, en el silencio de la página, y de esa forma se darán cuenta de que son cosas confidenciales y las guardarán donde deben estar: en el fondo. De esa forma se enterarán, pero yo no habré sido chismosa ni indiscreta.

Irene, de vez en cuando, insistía con la sospecha que tenía desde el principio:

—Pero, ¿sois ya novios o no?

Y yo siempre le respondía lo mismo:

—No es nada de eso. Es algo diferente. Habla, y yo le escucho. Está bien así.

—No puede ser. No después de tanto tiempo.

A mí me constaba, entre otras cosas, que Irene era una de las personas más inteligentes que yo conocía, y que no solía equivocarse demasiado. Y también había empezado a darme cuenta de que todos aquellos reparos que le había puesto al principio a Andrés (que si era demasiado flaco, que si estaba siempre tan paliducho) cada día que pasaba eran más invisibles. Iban desapareciendo al mismo tiempo que me encandilaban sus ojos o el sonido de su voz. Pero siempre había una pregunta clave, que Irene me hacía todas las semanas:

—¿Ni siquiera os habéis besado?

A esa pregunta, mi contestación podía ser categórica:

—No. Ni intentos siquiera.

Quien no sabía nada de nada era Roberto. Aunque sospechas debía tener muchas, lo único que veía era que yo hacía como si él no existiera, desde que sus compadres le habían dado la paliza a Andrés. Nos cruzábamos muchas veces durante la semana, porque era imposible impedirlo viviendo en el mismo bloque, pero yo siempre iba sola o con mis amigas, y él no podía imaginarse que me veía todos los domingos con nuestro vecino polaco. No podía hasta que un domingo, sin que me diera cuenta, me siguió. Le pillé al darme la vuelta en el paseo de John Lennon para ver si ya venía Andrés. Roberto se escondió como pudo, y yo dudé si debía ir a hablar con él, pero al final decidí que no merecía la pena. Poco más tarde llegó Andrés, y Roberto vio cómo nos reuníamos desde su escondite. Durante la semana siguiente estuve un poco preocupada, pensando en lo que Roberto podía largar por ahí y en lo que eso podía costarme si se enteraba mi padre. Pero cuando volví a encontrarme con Roberto, el miércoles o el jueves, no parecía que circulase todavía ningún rumor. Roberto me miró como si de repente me hubieran salido escamas verdes o algo por el estilo, y a la vez con una especie de mansedumbre triste que probaba que todavía estaba enamorado de mí. Esa vez, excepcionalmente, le dirigí la palabra:

—Espero que no andes soltando ninguna burrada por ahí.

—No he soltado nada —contestó, digno.

—No me da ningún miedo, no creas —procuré mostrar aplomo—. Sólo es que me fastidiaría que fueras hablando por ahí de lo que no sabes.

—No tengo nada de que hablar.

Increíble pero cierto, Roberto había aprendido que a veces vale más tener la boca cerrada.

Durante aquellos dos meses, la gente del portal se había acostumbrado a los polacos, y salvo Mariano, genio y figura, todos les daban los buenos días y las buenas tardes, les preguntaban por su salud, comentaban con ellos el tiempo; en fin, todo eso que se hace en el ascensor cuando te encuentras con alguien que vive en el piso de arriba. Yo me cruzaba a menudo con la madre y con Wisława, y alguna que otra vez con el capitán, que seguía imponiéndome, o me imponía cada vez más, aunque él me saludaba muy amable.

Con Wisława, al fin, terminó pasando algo que yo me temía y que le había visto madurar lentamente al hámster, operación aquella (la de madurar algo lentamente) bastante infrecuente en él. A base de encontrarse con ella, había conseguido ir controlando el desbarajuste fisiológico que la bella polaca le producía, y una mañana que coincidimos en el portal, se plantó muy serio delante de ella y le dijo:

—Vasilava, esto no puede seguir así.

La salida nos dejó a las dos pasmadas, y yo no acerté a cumplir con el deber que me correspondía como hermana mayor, neutralizarle en seguida. Wisława dijo:

—¿Qué?

—Esto —explicó el hámster—. Eres la mujer de mi vida. Tenemos que casarnos.

Wisława primero se puso colorada y luego se echó a reír. Un grave error, porque el sonido cristalino de aquella risa enloqueció al hámster, que se abrazó a ella, o mejor dicho a sus piernas, provocando una escena embarazosísima. Al final me lo llevé como pude, o sea, a rastras, pero todavía en el ascensor el hámster gritaba:

—Te quiero, Vasilava. Quiero *volverme* polaco.

El muy donjuán, esta vez, no dijo *polonio*.

18

Tu último truco

Hay veces, en la vida, en que las cosas te pasan sin que tú sepas que te están pasando. Y muchas de esas veces, aunque luego se te quede cara de cretina, es posible que sea mejor así, y que no sepamos leer los signos sutiles con que los acontecimientos trascendentales suelen anunciarse siempre. Aquel domingo, el primer signo pudo ser que Andrés, en contra de nuestro pacto y de nuestra costumbre, se adelantara a esperarme al final del paseo de John Lennon. Cuando yo llegué, allí estaba ya él, con su mochila colgada del hombro. Nunca la había traído, y no pude aguantarme la curiosidad:

—¿Y esa mochila?

—Es una sorpresa —dijo—. Pero antes de nada, feliz cumpleaños.

Y me tendió un paquetito rectangular, envuelto en un papel de regalo blanco y rojo, que, como sabréis, son los colores nacionales de Polonia. Podía ser coincidencia, pero más bien me inclino a creer que Andrés escogió aquel envoltorio deliberadamente.

—¿Qué es? —pregunté, como casi siempre se pregunta ante un regalo inesperado.

—Ábrelo —contestó él, que es lo que siempre se contesta a la pregunta anterior.

Eso hice, abrirlo, y debajo del papel apareció una cinta de los Dire Straits, concretamente una que se titula *Brothers in Arms*, en la que están algunas de las canciones que más me gustan de ellos. Ahora caía en que se la había mencionado a Andrés una de nuestras tardes, mientras volvíamos a casa. Sin duda, había tomado buena nota.

—Muchas gracias —dije, y abandonándome al impulso que cualquier chica educada y agradecida tiene cuando le hacen un regalo de cumpleaños, le eché una mano al cuello y le di un beso en cada mejilla. Eso lo hice automáticamente, pero en cuanto estuvo hecho me di cuenta de que acababa de besar a Andrés por primera vez, después de tres meses. Hasta que yo le había dado la mano, el domingo anterior, había sido como si hubiéramos tenido un exquisito cuidado en evitar el más mínimo contacto físico entre nosotros. La audacia increíble que suponían aquellos dos besos me llenó de orgullo, sobre todo porque sentía que él se había alegrado también de recibirlos.

Después, los dos nos quedamos un poco cortados. Andrés salió del apuro abriendo su mochila y enseñándome lo que llevaba dentro: un radiocasete portátil.

—Si quieres, podemos oír la cinta arriba.

Quise, claro, y echamos a andar hacia allí. Aunque la primavera, como decía Andrés, sea una estación de la que no te puedes fiar del todo, lo bueno que tiene es que por las tardes da gusto pasear y no suele soplar ese vientecillo criminal que te corta la respiración en las tardes de invierno. Paseando así, tranquilamente, podía hacerme la ilusión de que los minutos transcurrían más despacio, y de que me duraba más aquella tarde que era mi tiempo con Andrés y lo mejor de toda la semana.

—Me encanta tu regalo —reconocí, aunque ya se me notaba lo suficiente.

—Estuve dudando, por si la tenías —dijo Andrés.

—No tengo muchas cintas. Son demasiado caras para mis posibilidades. La verdad es que no deberías haberte gastado tanto dinero.

—Bueno, la encontré de oferta. Tampoco me ha costado mucho. Pero no te preocupes por eso. Sólo por verte contenta, ya es dinero bien gastado.

Pensé en todas las cajas que Andrés habría debido mover en el almacén para ganar el dinero con el que había pagado aquella cinta, y al pensarlo me parecía más conmovedor que se apresurara a quitarle valor al asunto.

—No te hace falta regalarme nada para verme contenta —aseguré.

—Ya lo sé. Por eso me gusta. Y también por eso me gustan estos domingos.

Ya teníamos el cerro a la vista. Me sentía muy bien aquella tarde, mientras andábamos hacia nuestro refugio. O mejor aún: me sentía eufórica. Quizá por esa euforia me atreví a hablar con Andrés sobre algo que me venía dando vueltas en la cabeza y que nunca me había atrevido a sacar hasta entonces.

—A propósito de estos domingos —dije—, hay algo que quiero preguntarte desde hace tiempo. Es un detalle que me tiene intrigada.

—¿Un detalle de qué? —se interesó, bastante precavido.

—De la historia. Cuando me acuerdo de todo lo que me has contado, siempre echo una cosa en falta. ¿No te imaginas cuál?

—Pues no. Ahora me intrigas tú a mí.

—Nunca me has contado cómo es exactamente Varsovia.

Andrés siguió mirando al frente y acabó echando mano de su sonrisa incombustible.

—El caso es que no me resulta nada fácil describirla —se disculpó—. Pero no te preocupes. Espero que algún día puedas verla con tus propios ojos.

—También quería preguntarte sobre eso.

—¿Sobre qué?

—Sobre si iba en serio lo que dijiste el otro domingo, cuando estabas terminando de contarme el viaje. Lo de llevarme algún día a Varsovia.

Disimulé bien, pero le sondeaba sobre aquella cuestión con toda la prevención del mundo. Me temía que fuera algo que se le había escapado sin pensar, una frase hecha o algo así, como cuando alguien le dice a otro: «Ya sabes dónde tienes tu casa» y lo último que espera quien lo dice es que el otro tenga la cara dura o la mala idea de creerse que realmente puede ir a dormir allí cuando se le antoje. Pero Andrés entonces se paró y me respondió muy solemne, poniéndose colorado como yo creo que nunca le había visto ponerse antes:

—Claro que lo dije en serio. ¿Por qué lo dudas?

—No sé. No se me ocurría por qué ibas a querer llevarme.

—Pues porque tú eres mi única amiga aquí, y porque me gustaría enseñarte mi tierra, como tú me enseñas la tuya. Lo único —bajó los ojos— es que no sé cuándo podré llevarte. Ni siquiera sé cuándo podré ir yo. Pero algún día —se rehízo—, cuando pueda, te llevaré.

No daba crédito a mis oídos, y quería creerlo, así que le pedí:

—Dilo otra vez. Promételo.

—Te llevaré. Te lo prometo.

—A lo mejor no te das cuenta de lo que esa promesa significa para mí. Nadie me ha prometido nunca algo que me atraiga tanto.

—Ese honor que me haces —observó, con su seductora modestia.

—No. Tú lo has hecho todo. Si Varsovia me atrae, es gracias a ti.

Nos acercábamos a mi atalaya, que en realidad era la atalaya de los dos, ahora. Ante mi último comentario, Andrés volvió a bajar los ojos.

—De todas formas, quizá no te guste Varsovia, cuando la veas.

—Claro que me gustará —protesté—. No puede dejar de gustarte algo que has soñado, cuando lo has soñado con toda tu alma.

—Y tú la has soñado, Varsovia.

Aquella tarde estaba confiándome a Andrés como no lo había hecho antes, pero no me daba ninguna vergüenza, sino que a medida que le iba confesando cosas tenía ganas de confesarle más y más, como si fuera una olla a presión que había estado a punto de saltar en mil pedazos y que al fin tenía ocasión de dejar escapar el vapor.

—Varsovia y todo lo demás que me contaste —admití—. Mientras me lo contabas era como oír una música, y la música siempre me hace soñar.

—Cuidado con eso —avisó Andrés, zumbón—. Ya sabes que la mayoría de la gente se burla de los que andan por ahí soñando. Lo primero es tener los pies en la tierra.

—Pues yo creo que no —dije, impulsivamente—. Creo que lo primero es tratar de soñar la tierra que quieres pisar, aunque luego sea imposible pisarla. Lo que nunca has soñado no lo sientes, y sin sentir, qué más da dónde narices puedas poner los pies.

Solté aquella frase lapidaria sin saber lo que decía, porque no eran cosas que hubiera reflexionado antes, sino lo que en ese momento me cruzó por la cabeza, y según me oía me iba pareciendo que lo que salía de mi boca no era más que una empanada de tonterías adolescentes. Eso es al menos lo que habría opinado mi tío Álex, y si me hubiera dado su frío veredicto no habría podido replicarle nada. No sé vosotros, pero por mucho que me esfuerzo en meditar y tener unas convicciones sólidas, muchas de las veces que trato de explicar lo que creo no me sale nada que haya pensado bien y de lo que esté segura, sino ideas que se me van ocurriendo y de las que luego me arrepiento con una facilidad pasmosa. Pero de aquella frase no me arrepentí, porque Andrés, después de escucharme, no hizo el comentario sarcástico que habría hecho mi tío Álex, sino que asintió con una especie de admiración. Y a continuación volvió a hacer sonar aquella voz suya, tan sugeridora, para llevarme a donde él sabía, a donde yo sólo podía seguirle ciegamente.

—En el fondo, ahí está la clave —dijo—. Por lo general, la verdad es que no se pueden vivir los sueños. A mí, por ejemplo, me ha tocado despertarme de golpe de los que tenía. Pero mientras te contaba mi viaje, me daba cuenta de que los pocos sueños que consigues vivir son lo único que vives para siempre. Si lo piensas, la suerte es que no hay una sola verdad. Ahora soy el chico del almacén, pero también he sido capitán en el Báltico; y Varsovia es lo que yo recuerdo, pero también es la ciudad que tú sueñas. Quizá es más como tú la sueñas que como yo la recuerdo. Por eso, decididamente, creo que es mejor que no te la describa. Algún día la conocerás y la encontrarás igual que la soñaste. Estoy seguro.

Qué podía añadir yo a eso. Desde hacía algún rato, estábamos sentados bajo nuestros pinos. Aquella tarde, el cielo no se veía muy limpio y Madrid era una mancha difuminada sobre el horizonte. No resultaba tan espectacular como en las tardes claras, pero también tenía su encanto. Andrés sacó su radiocasete y me pidió la cinta.

—Dame, y te la pongo.

Se la di, y medio minuto después empezó a sonar la primera canción, *So Far Away*, que quiere decir algo así como *Tan lejos*. Pensé en lo lejos y lo cerca que teníamos Madrid, ahí abajo, y en lo lejos y en lo cerca de mí que estaba aquella Varsovia que Andrés acababa de prometerme. A casi tres mil kilómetros en todos los mapas, y a sólo unos pocos centímetros, a mi izquierda. Andrés escuchaba la música y también pensaba en lejanías.

—Si vuelvo a Polonia, echaré de menos estas tardes —dijo—. Cuando sea invierno y no se pueda salir a la calle me acordaré de estar aquí contigo, viendo Madrid bajo el sol. Y siempre que intente acordarme de Madrid, será de ti de quien me acuerde. Ya ves, Laura, aunque nunca hemos ido allí juntos y sólo lo hemos mirado desde lejos.

—Si vuelves a Polonia, yo vendré aquí a mirar Madrid —le prometí yo—, y cuando lo mire me acordaré de ti y de todo lo que me has contado. También te echaré de menos, pero será mejor que antes, porque antes Madrid sólo era esas casas y esos pocos rascacielos y ahora es todas las ciudades, y el río, y hasta el mar de tu historia.

Hice aquella promesa sin ninguna tristeza, porque estaba feliz y porque no creía que Andrés fuera a volverse a Polonia. Teníamos todo el tiempo por delante, empezábamos a coger confianza, y la música de los

Dire Straits, que ahora era el ritmo rápido de una canción que se llama *Walk of Life*, ayudaba a ser optimista. Los dos nos quedamos callados, porque la música expresaba nuestros sentimientos. Al menos los míos.

Así seguíamos, sin hablar, cuando empezó a sonar la canción siguiente, que se llamaba y se llama *Your Latest Trick*, o lo que es lo mismo, *Tu último truco*. Es una de las canciones más bonitas que hicieron nunca los Dire Straits, lenta y un poco melancólica. Al principio sólo suena un saxofón, que toca muy despacio la melodía antes de que entren todos los demás instrumentos. Al oír ese saxofón, algo pareció encenderse en el gesto de Andrés. Era una música que invitaba, y no se lo pensó dos veces:

—¿Quieres bailar conmigo?

Yo tampoco me lo pensé dos veces. Me olvidé de que era una bailarina más bien nefasta y le di la mano. Él tiró suavemente de mí hacia arriba y me cogió por las caderas. Al principio nos costó a los dos acostumbrarnos a la sensación, tan rara, pero en seguida nos dejamos ir. Yo nunca había sentido dos manos templadas como aquéllas, sujetándome y al mismo tiempo sin apretar demasiado, llevándome y acompañándome a todas partes.

Por lo demás, no sé si Andrés bailaba especialmente bien o mal, porque sólo me sentía flotar en la música y en su cuidadoso abrazo. En mi atontamiento, Madrid no era más que un espejismo que temblaba de vez en cuando al otro lado de su hombro. Fue entonces, mientras girábamos sin prisa al amparo de nuestros árboles y al compás de la música, cuando acepté que al fin sabía lo que sentía por aquel misterioso y tierno domador de palabras. No era guapo y seguía estando demasiado pálido y esquelético, pero nada importaba menos que eso, en el sueño secreto en el que él me había enseñado a vivir. Era como Mark Knopfler, el cantante de los Dire Straits, que casi no tenía voz y habría debido ser uno de los peores cantantes del mundo, y sin embargo susurraba las palabras de forma que su voz se convertía en la música más sublime. Eso era lo que pasaba en *Tu último truco*, donde aquella voz de asmático llegaba a ser más aterciopelada que el saxofón y más intensa que el resto de la orquesta. Al arrullo de la voz de Mark Knopfler, que se deslizaba perezosamente por el último estribillo de la canción, busqué y encontré los ojos de Andrés, esos ojos azules de tanto mirar el agua de su país lejano. Al verme en el fondo de sus pupilas, comprendí para siempre el misterio que nos hacía diferentes y a la vez nos hacía uno solo. Era muy sencillo. Sólo hacía falta mirar ahí dentro y dejarse mirar igual. Él no era extranjero en mi atalaya, y yo ya nunca, ni aunque quisiera, podría ser extranjera en Varsovia.

Después venía una canción que no me gustaba tanto como *Tu último truco*, y que no invitaba tanto a bailar, aunque también era lenta y habríamos podido alargarlo un poco. Nos soltamos y volvimos a sentarnos, como si no hubiera ocurrido nada, iba a escribir, pero sí que había ocurrido mucho. Fue Andrés quien se decidió a hablar:

—Hay algo que quiero que sepas siempre. Algo que quiero que creas, pase lo que pase.

Aquel preámbulo me desconcertó un poco, y especialmente el «pase lo que pase». Nunca es bueno cuando te dicen eso. Además, Andrés tenía de pronto un aire un poco apagado. Pero debió notar mis sospechas y recuperó rápidamente el aplomo de siempre.

—Lo que quiero que sepas —siguió— es que desde el primer día tú has sido para mí más que nadie, y que a nadie le he abierto mi corazón como a ti. Acuérdate siempre de eso.

Debería haberme preocupado, porque en sus palabras se adivinaba una sombra. Ahora que las recuerdo, era como si tratara de prepararme para un momento en el que él no pudiera tratar de convencerme de todo aquello, un momento en el que oiría a otros que tratarían de convencerme de lo contrario, pero no podría oírle a él. Sin embargo, en aquel instante sólo escuchaba el halago y sólo veía su sonrisa radiante, sus ojos claros y transparentes. En definitiva, me dije, si aquello no había sido una declaración, qué otra cosa podía ser.

—Me acordaré —respondí, derretida como una idiota.

Andrés me tuvo allí, en aquella felicidad hipnotizada, hasta que la tarde terminó de caer. Mientras el sol iba bajando, como tantas tardes, él cogió mi mano entre las suyas y la acarició con sus dedos blancos y finos. Seguían sonando los Dire Straits, porque cuando se acababa la cinta volvíamos a ponerla, y de ese modo llegaba una y otra vez a la última canción, la que se llamaba precisamente como la propia cinta, *Brothers in Arms*. También era una canción lenta, en la que la voz de Mark Knopfler te ponía la carne de gallina. Nos quedamos hasta el último minuto, hasta que empezaron a encenderse las luces de Madrid. Ésa era la señal de que teníamos que irnos.

Volvimos a Getafe sin prisa, dejando que se nos hiciera de noche, y fuimos juntos más allá que ninguna otra vez, hasta que estuvimos demasiado cerca del bloque y ya no pudimos seguir más. Allí Andrés volvió a cogerme la mano y se quedó dudando un segundo, pero yo no dudé y le di un beso que ya no era de cortesía. De esto no voy a proporcionar muchos detalles, porque hay cosas que son tan confidenciales que lo son incluso demasiado para ponerlas en los libros. Cuando ya iba a irme, Andrés me retuvo.

—No quisiera que te fueras sin decirte algo muy importante —murmuró, con voz indecisa—, pero me cuesta mucho decirlo.

Era la primera vez que veía a Andrés detenerse ante las palabras, su especialidad absoluta. Tenía mis sospechas o mis ilusiones de qué era lo que le costaba decirme, y le pregunté:

—¿Por qué te cuesta?

—Porque creo que no quiero que te enteres, todavía. No esta tarde.

Ni siquiera me paré a sopesar más despacio qué podía ser aquello de lo que no quería que me enterase todavía. De repente, a veces me pasa, había tenido una idea genial:

—Pues dímelo en polaco.

A Andrés, fueran cuales fueran sus reparos (y yo entonces andaba un poco despistada, pero hoy me los imagino), le vino de maravilla mi sugerencia. Me miró fijamente, como si yo no fuera yo, sino algo así como Sisí emperatriz. Al menos, nunca me había sentido tan la emperatriz de la mirada de alguien. Y dijo la frase, en polaco.

Era una lengua endiabladamente enrevesada, y hasta la misma voz de Andrés parecía otra al pronunciarla. No sólo no se le entendía, sino que ni siquiera se te quedaban los sonidos. Pero de ninguna manera iba a consentir que aquellas palabras se perdiesen. Por fortuna, llevaba un bolígrafo. Lo saqué y se lo di a Andrés.

—Toma —le dije—. Escríbemelo.

Andrés no se resistió. Sacó de su cartera un billete de metro gastado y escribió en él la frase, con una letra diminuta. Después me la leyó, otra vez con su asombrosa voz polaca:

—*Do widzenia, moja piękna księżna.*

Con aquella frase y su sonrisa calándome hasta los huesos, corrí hacia el portal. No he tratado nunca de saber qué significan las palabras polacas que acabo de copiaros. Ahora supongo que no deben significar lo que yo quise creer entonces, pero también es posible que me equivoque al suponerlo. Por eso nunca he intentado descifrarlas, y nunca lo intentaré. De vez en cuando las cojo, en el billete de metro en que Andrés me las dejó, y las veo dibujadas en su letra decidida. Al leerlas podría dolerme recordar que aquellas palabras fueron las últimas, pero no me duele nada. Prefiero acordarme del resto: de su sonido tan complicado y dulce, como la forma en que Andrés se me había declarado aquella tarde.

Andrés me había dicho que a nadie abría su corazón como a mí, y creo que no estaba mintiendo al decírmelo. Al menos, yo fui la primera en conocer la noticia. El lunes, antes de que corriera de boca en boca por el bloque, la encontré en mi buzón. Esa vez, para variar, no le hizo falta ninguna palabra. Cuando vi la cinta de Henryk Szeryng, entre la propaganda y las cartas del banco, lo comprendí todo.

19

La línea de sombra

Lo que yo supe al ver en mi buzón la cinta de Henryk Szeryng, que para quienes no lo recuerden era la prenda que Andrés se había guardado en garantía de que yo acudiría a nuestras citas, los demás vecinos del portal lo supieron de una forma un poco más aparatosa. En algún momento, llegó a parecer que estaban rodando una película. La policía, en dos coches, apareció el lunes por la tarde. Los agentes subieron al Sexto B y llamaron varias veces. Gritaron algo que ya habíamos oído en otra ocasión, cuando habían venido a abrir el mismo piso después de que lo abandonasen los inquilinos criadores de gatos:

—Abran. Policía.

Como la otra vez, no abrió nadie. Pero también ahora los policías traían un cerrajero, que desmontó la cerradura en un par de minutos. Después de eso entraron dos de ellos, con las pistolas en alto, y tras registrar toda la casa salieron y le dijeron al que parecía el jefe:

—Nada, se han esfumado. Ya deben haberse avisado unos a otros.

Aquello fue el acontecimiento del día, de la semana y hasta del mes, y también fue, por otra parte, la apoteosis de Mariano. Para mi desgracia, tuve ocasión de oírlo en vivo y en directo, sin necesidad de que su hijo me lo retransmitiera como solía:

—Menos mal que han venido a hacer limpieza. Ya era hora.

Pero el policía al que estaba felicitando por venir a cazar a los polacos, un chaval de unos veinticuatro o veinticinco años de aspecto bastante responsable, no le rió para nada la gracia. Se quedó mirándole en silencio, hasta que a Mariano empezó a estirársele demasiado su sonrisita de sapo. Después el policía meneó la cabeza y le dio la espalda, como si no quisiera saber que alguien como Mariano estaba allí aplaudiéndole. Me cayó bien por eso, el policía, y en cuanto tuve una oportunidad me acerqué a él y le pregunté:

—¿Por qué los buscan?

—¿Para qué quieres saberlo, bonita? —contestó el policía. Normalmente no hay nada que pueda soliviantarme tanto como que alguien me llame *bonita*. Primero porque no lo soy, y segundo porque cuando alguien te identifica refiriéndose a tu aspecto físico es una señal casi infalible de que no te tiene ningún respeto. Sin embargo, el policía lo dijo en un tono amable que no me disgustó. Y por eso fui sincera con él.

—Uno de ellos es amigo mío.

—Vaya, lo siento —lamentó el policía. Hasta ese momento creo que sólo intentaba desembarazarse educadamente de mí, pero al enterarse se entretuvo un poco más—: No te preocupes. No han hecho nada. Son inmigrantes ilegales, eso es todo.

—¿Inmigrantes ilegales? —había oído las dos palabrejas antes, desde luego, pero no sabía muy claramente qué era lo que significaban.

206

—Sí —explicó el policía—. Están aquí sin permiso. Para trabajar en España, los extranjeros necesitan un permiso. Si no lo tienen, son ilegales. Así es como funciona el asunto.

—Y si los encuentran, ¿los meterán en la cárcel?

El policía se rió, aunque yo le había preguntado con cierta angustia. Me imaginaba a Andrés y al capitán entre rejas y me echaba a temblar, pero suponía que ellos dos podrían defenderse. Las que no imaginaba cómo iban a desenvolverse eran Wisława y la madre, que incluso tenían dificultades con el idioma.

—Para qué iban a meterles en la cárcel, mujer —dijo el policía—. Todo lo que les harán será llevarles a la frontera y devolverles a su país.

La información me tranquilizó. Pero el policía aún hizo más por animarme:

—No te apures. Les han avisado a tiempo. Podemos tardar años en cogerles, y para entonces lo mismo se han legalizado y no podemos hacer nada contra ellos.

Vi que el policía lo decía como si no le enorgulleciera nada andar persiguiendo a gente que se ganaba la vida como podía sin hacerle daño a nadie, en lugar de acosar a alguno de los muchos canallas que pululan por el mundo, perjudicando a todos los que tienen a mano. Aquello, pensé, no dejaba de ser un síntoma alentador. Mientras hubiera gente como aquel policía, que tuviera la decencia de avergonzarse de maltratar a los desvalidos, había alguna posibilidad de que los egoístas desalmados como Mariano quedaran en evidencia. Aquel día, por lo menos, se quedó más solo que la una. La gente del portal, cuando se fue la policía, volvió silenciosamente a sus casas, y Mariano no encontró a nadie con quien celebrarlo. Incluso Roberto andaba cabizbajo en un rincón.

—Qué. Supongo que te alegras —le solté, furiosa, porque todavía tenía fresca en la memoria la sonrisa de oreja a oreja de su padre.

—No me alegro —murmuró Roberto sombríamente.

—No me irás a decir que te da pena ahora.

—No. Sólo hay algo que no entiendo.

No era frecuente que Roberto reconociera su ignorancia sobre algo, aunque oportunidades no le faltaban, ni que lo hiciera con aquel tono de pesadumbre.

—Qué no entiendes, prenda.

Cuando le llamaba *prenda*, Roberto sabía por experiencia que me estaba burlando de él. Pero no se enfadó. Sólo dijo, todavía quejumbroso:

—Lo que no entiendo es lo que viste en él.

Por primera vez desde que le conocía, las palabras de Roberto me conmovieron. No sólo por la franqueza con que dejaba que se vieran sus sentimientos, sino por la forma en que me hicieron darme cuenta de los míos. Andrés y su familia se habían ido, la policía les perseguía, y lo más probable era que no volviera a verles nunca. Ya no habría más tardes de domingo en el cerro, ni más historias extraordinarias. Ya no iba a oír más la música arrebatadora de su voz, ni iban a mirarme sus ojos azules, ni iban a tocarme aquellas manos que eran tan delicadas conmigo y sin embargo sabían dar golpes letales. ¿De cuál de todas aquellas cosas podía hablarle a Roberto? ¿Y cómo iba a hablarle sin echarme a llorar? Quizá podía responderle que Andrés, ahí donde le veía, había aprendido a perder y a levantarse, y a soñar y a despertar sin olvidar los sueños, y que con apenas quince años había remontado el Vístula y había salvado su barco de la tempestad y la niebla del Báltico.

Pero no quería apabullar a Roberto, que no tenía

la culpa de haber sido educado en un entorno desfavorable a la sensibilidad y a lo que merece la pena de la vida. Elegí una contestación que pudiera darle con dignidad, sin herirle ni derrumbarme, porque debía estar a la altura y demostrar que yo también había aprendido a perder:

—No vi nada, Roberto. Todo era invisible. Ése era el truco.

Roberto no entendió con eso, pero se quedó meditándolo, y me intuyo que algún día, cuando le pase algo más que andar haciendo el burro con Arturo y Raúl o ver el fútbol en la tele con su padre, será capaz de entenderlo. Ya os lo he dicho; Roberto no tiene mala pasta, sino mala suerte. Además, el hecho es que los dos seguimos viviendo en el mismo bloque, y para convivir más vale poder tener alguna esperanza en los demás.

El desmantelamiento de la red de inmigrantes ilegales polacos vino en todos los periódicos. Al parecer los tenían repartidos por una serie de pisos alquilados en Getafe, Leganés y otras ciudades del sur de Madrid. La mayoría trabajaban como albañiles, pero también había algunas mujeres que trabajaban en talleres clandestinos de confección y otros estaban en un par de almacenes. Los periódicos decían que, aparte de una treintena de polacos, que habían sido devueltos a su país, la policía había detenido a varios españoles, que eran quienes los empleaban pagándoles salarios por debajo del mínimo. Uno de esos españoles, el dueño de uno de los almacenes, vino al principio sólo con las iniciales, J.U.S., pero un par de semanas más tarde apareció el nombre completo: Juan Utrera Salazar.

La primera vez que leí el nombre, no me produjo más que una especie de comezón. Pero la segunda, como un fogonazo, me acordé de cuándo había oído mentar a un Juan Utrera antes: era el nombre del marinero de Cádiz que Andrés me había dado a toda prisa, la noche que yo había dudado de que el marinero existiera.

El descubrimiento me desconcertó. Cualquier malicioso deduciría que era la prueba de una mentira, que nunca había habido un marinero de Cádiz en Varsovia que le hubiera enseñado español a Andrés, y que cuando se había visto acorralado por mi desconfianza de aquella noche, había tirado del nombre español que tenía más a propósito, el del dueño del almacén donde trabajaba. Eso era lo más fácil, lo más rápido. Pero yo estaba obligada a buscarle objeciones a esa teoría, y se las busqué. Lo que nadie podía negar era que Andrés hablaba un español casi perfecto, y que además tenía acento andaluz. Y había otro dato innegable: leía libros en español, como me había contado que le había acostumbrado a hacer aquel marinero. Yo había visto uno sobre su mesilla, *La línea de sombra*. Si aquello hubiera sido mentira, lo normal habría sido que lo leyera en polaco. Había que admitir que el hecho de que el marinero llevara el nombre del dueño del almacén resultaba demasiado sospechoso para ser una casualidad, pero podía haber alguna explicación razonable. Podía ser que Andrés no se acordase en ese momento del nombre del marinero, o que recordase sólo el nombre y no el apellido y se buscase aquel nombre y aquel apellido para impresionarme más. En ese caso habría sido una mentira, pero una bastante inocente y que no afectaba a la esencia. Quién no suelta de vez en cuando una mentirijilla, para decorar un poco.

No diré que con eso eliminé mis dudas, pero por lo menos las mantuve a raya. Y me ayudó, porque en las semanas que siguieron ya tuve bastante con la tristeza de irme resignando a la falta de Andrés. Si tenía que elegir entre eso y sospechar, prefería la tristeza, porque estaba llena de recuerdos que no eran tan tristes. Gracias a ellos, esta vez pude pasar sin someterme a sesiones intensivas de Henryk Szeryng tocando el *Concierto para violín y orquesta* de Chaikovski. Lo oía sólo dos o tres veces al día, y al cabo de un tiempo sólo por las noches, mientras miraba las estrellitas fluorescentes que una mala tarde tuve la debilidad de pegar en el techo. Fue uno de esos regalos tontos que te hacen, y que en lugar de decirle a quien sea que se vuelva a la tienda y que le den el dinero y que con ese dinero te compre tal o cual cosa que *sí* quieres, pones cara de niña buena y lo coges. Una vez que cometes ese error, ya estás condenada a usar el regalo para lo que sirva, porque si no el que te lo da, que va a controlar implacablemente si lo usas o no, te cogerá en falta. En fin, que tuve que pegarlas ahí arriba, y para más inri creo que no hay cristiano que las despegue.

Otra cosa buena de aquella tristeza de después que desapareciera Andrés fue que no me perturbó como la otra del principio. Seguí cumpliendo con todos mis deberes, sin rendirme, aunque se aproximara y terminase llegando esa época deprimente de junio que los adultos han diseñado minuciosamente para torturarnos a quienes estamos en edad escolar; esa época en que el campo está lleno de pajaritos piando y florecillas silvestres y tú tienes que estar encerrada desmenuzando polinomios o perpetrando contra tu voluntad análisis sintácticos, mientras todos se pegan la vida padre a tu alrededor.

El que no reaccionó muy positivamente ante la marcha de los polacos fue el hámster. Al principio le

211

dio por el heroísmo, como cuando se fue a ver a mi madre y le pidió todo lo gravemente que el hámster es capaz de pedir algo, que no es poco:

—Quiero que me lleven a la cárcel con Vasilava.

—No puede ser, Adolfo —le contestó mi madre, aguantándose la risa.

—¿Por qué? ¿No hay cárceles *flixtas*?

—Mixtas. No, no es eso.

—Que *cronste* que si hace falta hacer un delito, ya lo he hecho —aseguró—. Te he robado mil pesetas del monedero. Mira.

—Trae, anda. No puede ser, principalmente, porque no la han metido en la cárcel.

—¿Y dónde está?

—Se habrá vuelto a Polonia.

El hámster, al oír eso, salió disparado a su habitación. Volvió con su hucha debajo del brazo y me preguntó con aire resuelto:

—Laura, ¿cuánto puede valer ir a Polonia?

Conseguimos a duras penas que no rompiera la hucha, pero durante meses el hámster anduvo muy descentrado. Sus boletines de notas se llenaron de la temible frase «no progresa adecuadamente», y protagonizó algunas peripecias peligrosas. Un día se fugó y estuvo siete horas desaparecido con la única chica rubia y con ojos azules de su clase. Otro día, pintó con un spray que le cogió a mi padre las palabras PLASTA FOCA en el coche de una profesora que le había regañado en el recreo. De milagro no le expulsaron. Por suerte, antes de que tuviéramos que llevarle al psicólogo empezó a arreglarse y volvió a ser un niño de siete años relativamente normal. Con la idiosincrasia del hámster, pero relativamente normal. Lo más que hacía era hojear las revistas de mi madre y recortar las fotos de todas las modelos o actrices rubias que se parecían a Wisława. A mi madre le fastidiaba un rato, porque a veces ya las había recortado antes de que ella viera la revista, pero por mucho que leer una revista recortada sea incómodo y mi madre tuviera razones para enfurecerse, la impaciencia del hámster no era alarmante. Todos los coleccionistas son un poco ansiosos.

No recibí noticias de Andrés hasta tres meses más tarde. Me mandó una carta muy breve, desde Polonia. En ella me contaba que habían tenido que volverse, porque después de perder el trabajo Wisława, su padre y él, no habían conseguido encontrar otros que les permitieran quedarse en España. También me decía que ahora buscaban trabajo allí y que había muchas posibilidades de que su padre recibiera el mando de un barco nuevo. Me pedía perdón por no haberme avisado y me juraba que no había sido porque no se fiara, sino para no estropear aquella última tarde. Al final decía que me echaba de menos y terminaba con tres de las cinco palabras polacas de la otra vez: *moja piękna księżna*.

La carta, que venía sin remite, tenía un matasellos un poco borroso. Después de muchos esfuerzos y de mirar uno a uno los nombres de las ciudades de Polonia que venían en mi atlas, y compararlos con las letras medio borradas del matasellos, conseguí averiguar desde dónde la había enviado: Włocławek. Era una ciudad pequeña a orillas del Vístula, situada junto al lago Włocławskie, el que Andrés me contó que había atravesado a la ida y a la vuelta durante su travesía. Por la situación que tenía, habían debido pasar por ella también en aquel viaje, aunque Andrés no me la había mencionado nunca. Al principio eso fue todo lo que supe, pero un día que fui a una librería grande en el centro de Madrid encontré una guía de

Polonia, y en ella leí que Włocławek era una ciudad industrial de unos 120.000 habitantes, casi como Getafe. Tenía una catedral (también como Getafe, por cierto) y era capital de provincia, aunque en Polonia no dicen provincia, sino *voivodato*.

Durante muchos días le di vueltas al hecho de que Andrés no me enviara su dirección, con lo que impedía que yo pudiera contestarle, y a la extraña circunstancia de que después de mis indagaciones el lugar desde el que me había enviado la carta resultara no ser Varsovia, sino aquella Włocławek. No me encajaba que Andrés quisiera quitarme la oportunidad de escribirle, y si su padre estaba tratando de conseguir un barco nuevo, ¿por qué se habían ido a vivir a Włocławek en lugar de volver a Varsovia, que era una ciudad más grande y era además su ciudad, donde debían conocer a más gente? Había, claro, una explicación maligna para todo eso. Siempre hay una explicación maligna, y muchas veces las explicaciones malignas tienen la ventaja casi invencible de que son las más simples. Según la explicación maligna, Andrés no quería que yo supiera que no estaba viviendo en Varsovia; y no estaba viviendo en Varsovia porque nunca había vivido allí. La explicación maligna permitía comprender todo lo que a mí me chocaba y algunas otras cosas más. Entre ellas, por qué Andrés nunca me había descrito cómo era Varsovia.

Me esforcé en no admitir la explicación maligna. Yo había estado con él todas aquellas tardes, escuchándole, y le había observado mientras él me hablaba de Varsovia. Si me hubiera estado mintiendo, lo habría sabido. Era posible que no me mandase su dirección porque no quisiera que yo siguiera pendiente de él, porque no sabía cuándo podríamos vernos ni si podríamos vernos, y prefería que viviera mi vida y que no esperase lo que a lo mejor nunca iba a venir. Me había hecho saber que estaba bien, se había disculpado por no despedirse y me había escrito que me echaba de menos. Después de eso, si no íbamos a poder vernos más, Andrés debía creer que más valía que se retirara. Y en ese caso, no era un mentiroso encubriendo su mentira, sino alguien capaz de sacrificarse por mí. En cuanto al resto, informándome un poco más descubrí que Włocławek también tenía un puerto fluvial importante, como Varsovia. Además, sólo estaba a ciento y pico kilómetros. Quizá se habían trasladado allí precisamente porque era donde su padre tenía expectativas de conseguir el mando de un barco. Todo era un poco más complicado, pero no resultaba inverosímil. ¿Por qué iba a hacer como cualquiera que no le hubiera conocido, y quedarme sin más con la explicación maligna? Habría sido una deslealtad inmunda por mi parte.

Incluso hice algo más. Siempre que iba a una librería buscaba las guías y los mejores mapas de Polonia, y así di con algunos que eran más grandes y detallados que el de mi atlas. En ellos iba localizando todos los puntos, y a veces me llevaba una regla para medir todas las distancias entre unos y otros. Luego las confrontaba con las notas que había ido tomando mientras Andrés me iba contando su historia. Todas las ciudades existían y estaban donde él había dicho, incluso aquella diminuta Neringa-Nida, en la frontera entre Lituania y Rusia. Todas las distancias coincidían con las que él me había dado, y el tiempo que decía que había tardado en ir de un lugar a otro cuadraba con la velocidad que podía llevar un barco como el *Cormorán*. También me informé de eso. Comprobé todos los detalles, uno por uno. Había un brazo del delta del Vístula que llegaba hasta Gdańsk, y era verdad que lo llamaban Vístula Muerto, que en polaco se dice *Martwa Wisła*. Había muchos castillos en ruinas a las orillas del río, los que habían levantado los caballeros teutónicos cuando habían gobernado por allí. Y en una guía encontré una fotografía de la iglesia de San Juan de Toruń, que era un edificio alto de color rojo, como él la había descrito. Tal vez alguien que sepa más de Polonia que yo, tal vez alguno de vosotros, cuando lea el libro, pueda encontrar alguna inexactitud, algo que permita pensar que la historia de Andrés no era rigurosamente cierta. Pero lo que yo puedo decir es que todos los pormenores que entonces quise confirmar, en mi ansioso empeño por respaldarla, conseguí confirmarlos sin excepción.

Aquella afición por las librerías me hizo bajar a Madrid más de lo que solía (en Getafe hay algunas librerías buenas, pero en ellas no era fácil encontrar guías ni mapas de Polonia con el detalle que yo necesitaba). También me trajo algunos problemas, porque los empleados de determinadas tiendas se hartaban de verme midiendo con mi regla y tomando notas y se acercaban y me decían que comprara el libro o que me largase. Pero yo volvía una y otra vez, y una de esas veces, al pasar junto a un estante, vi un libro cuyo título atrajo como un imán mi atención: *La línea de sombra*, de Joseph Conrad. Aquél era el libro que Andrés estaba leyendo, y de pronto se me ocurrió que quizá pudiera aclararme algo sobre él. Lo que leemos muestra cómo somos, y hasta nos hace como somos. Porque yo había leído *Tarás Bulba*, por ejemplo, no podía sentir la indiferencia hacia Polonia que sentía Mariano. Y en cuanto al propio Mariano, por algo sólo leía el folleto de su coche.

Las tres pagas siguientes las ahorré enteras, y aunque durante tres semanas no pude comprarme ni un chicle, me hice con aquel ejemplar de *La línea de sombra*. La empleada de la librería, que me tenía fichada, no podía creerse que al fin comprase algo.

—¿Seguro que lo quieres? —dijo—. Es corto. En un par de tardes que vengas te lo cepillas.

Pero lo quería, quería tenerlo para pasar sus hojas en mi cuarto y recorrer despacio las mismas palabras que Andrés había recorrido, y descubrir sin ninguna mirada clavada en mi cogote por qué le gustaba aquella historia. Lo primero que descubrí, y me llevé una sorpresa mayúscula, fue que Joseph Conrad en realidad no se llamaba Joseph Conrad ni era inglés, como en mi incultura yo había creído. Se llamaba Józef Teodor Konrad Naleçz Korzeniowski, y como todos habéis adivinado, era polaco. En realidad había nacido en Ucrania, pero en la parte que linda con Polonia, y sus padres eran de allí. Cuando él tenía cinco años exiliaron a su familia a Rusia, y con diecisiete años se enroló en la marina mercante francesa. Más adelante se nacionalizó británico, y entonces fue cuando cambió su nombre. Fue oficial de la marina inglesa en el archipiélago malayo, hasta que volvió a Inglaterra y se dedicó a escribir libros, todos en inglés. Pero rechazó el nombramiento de caballero que le ofreció la corona británica, y en su tumba está grabado su nombre polaco.

En cuanto al libro propiamente dicho, trataba de un joven oficial de la marina mercante que recibía por casualidad el mando de un barco, en el Golfo de Siam. No había que discurrir mucho para darse cuenta de que el joven capitán era el propio Conrad, cuando había sido marino. La historia está escrita de una forma un poco rara, o eso me parece a mí. Al principio es como si al joven capitán alguien le estuviera tendiendo una trampa, porque el mando que le dan es en realidad un regalo envenenado. El anterior capitán ha muerto loco, y parte de la tripulación está enferma. Sin embargo, el capitán no se arruga por eso, y a toda costa quiere hacerse a la mar. La nave es magnífica, siempre ha anhelado mandar una así. Cuando al fin zarpa, el barco, que es un barco de vela, se mete en una zona sin viento y se queda allí clavado durante días, siempre con la misma isla a la vista. Los enfermos empiezan a multiplicarse, y ése es el momento en que el capitán descubre que la provisión de quinina del barco, su única medicina, el anterior capitán la tiró al mar y la cambió por un polvo inútil. La segunda parte del libro, la de más tensión, cuenta las tribulaciones del capitán, que siente que es por su culpa por lo que todos sus hombres están allí, enfermos y sin medicinas y atrapados en mitad del mar. Él insistió en zarpar aunque los vientos no eran favorables; él debía haber comprobado la provisión de quinina. El joven capitán permanece en el puente día y noche, para no desperdiciar el más mínimo viento que pueda soplar. Aquellos hombres enfermos, que confían en él y no le reprochan nada, merecen todos sus desvelos, y salvarles a ellos, y el barco que le han encomendado, se convierte en su obsesión. Lo que pasa al final no voy a contarlo. Así lo leéis vosotros.

El libro se llama *La línea de sombra* porque es la historia de cómo el joven capitán sale de esa tranquilidad luminosa y sin muchos problemas en que ha vivido hasta entonces y atraviesa la línea de sombra de la responsabilidad, cuando siente que la vida de sus hombres y la suerte de su barco están en sus manos. Es una historia de amor a ese barco y a esos hombres que le han entregado su confianza, y es también la confesión de un capitán que ve cómo todo está a punto de arruinarse por sus errores y tiene que entregarse hasta el último aliento por evitarlo. Yo había leído antes historias de capitanes seguros y victoriosos, que siempre daban la orden justa y tenían la presencia de ánimo que hacía falta. Pero ninguna me gustó tanto como esta de un capitán equivocado que lucha por rehabilitarse.

Cómo negarlo: mientras la iba leyendo me acordaba también de otra historia en la que había dos capitanes que se equivocaban y que luego se sacrificaban para remediar su equivocación. Y supe, desde luego, por qué a Andrés le gustaba el libro. Como yo había previsto, me mostraba mucho de él. Hasta tal punto, que cuando tenía que ponerle un aspecto y una cara al capitán de *La línea de sombra*, era el aspecto y la cara de Andrés los que le ponía. Leyendo aquel libro comprendí por qué Andrés tenía ese aplomo, tan superior a su edad, y por qué nunca se precipitaba en sus actos, y por qué hablaba de los sueños como alguien que no puede ya dormir, aunque recuerda cuando dormía y lo que entonces soñaba. Andrés, antes de tiempo, había cruzado la línea de sombra. A la edad en que otros todavía andaban haciendo travesuras, él había tenido que venirse a trabajar a un país extranjero, aprender otra lengua, y hasta tenía que salir corriendo cuando venía la policía. Incluso tenía que aguantarse si le daban una paliza como la que le habían dado Arturo y Raúl y sus compinches, porque ahora no podía estar más claro por qué no lo había denunciado ni había intentado desquitarse. Un inmigrante ilegal no podía permitirse esos lujos.

Había algo más, y no voy a omitirlo, aunque admito que me cuesta hablar de ello. La historia que Andrés me había contado, había que reconocerlo, se parecía demasiado a *La línea de sombra*. Y era precisamente aquel libro, no lo olvidaba, el que estaba leyendo cuando había empezado a contármela. De repente todas mis comprobaciones se tambaleaban: ¿de qué servía aquella exactitud en los detalles, cuando la historia resultaba ser casi idéntica a un libro escrito hacía tanto tiempo? ¿No podía Andrés, en todas aquellas semanas, haber construido meticulosamente su escenario polaco, inventado sus personajes y el resto, para reproducir ante mí la historia que había leído en aquel libro?

Cada uno puede creer lo que le parezca, y no voy a enfadarme con nadie. Yo sé que hay casualidades que parecen demasiado escandalosas para serlo, pero por otro lado, creo firmemente que Andrés no era un mentiroso. No conmigo. Como él decía, y por suerte, no hay una sola verdad, ni una sola forma de contarla.

20

La música

Ahora que termino mi libro, hay otras cosas que no puedo dejar de contaros. Tengo que contaros, por ejemplo, que ese año mis amigas Irene y Silvia y yo aprobamos en junio todas las asignaturas, aunque la única que tuvo notas espectaculares fue Irene. En el examen final de Ciencias Naturales hizo la bestialidad de sacar un diez, lo que quiere decir que no tuvo ni un solo fallo ni una sola laguna al desarrollar el pavoroso e inabarcable tema de los artrópodos (un tema que, comprensiblemente, se cobró un buen número de víctimas para septiembre). También tengo que contaros que Silvia hizo una prueba para una película y la cogieron, y aunque su papel no era gran cosa, una chica que siempre estaba callada en las comidas familiares de una casa aristocrática, todos se dieron cuenta de que aquél era el primer paso serio de su futura carrera y empezaron a hacerle la pelota de una forma que nos daba risa o nos revolvía el estómago, según el día.

El hámster, superado su trauma y reprimidas aquellas ideas demasiado audaces, dio todo un viraje y consiguió *progresar adecuadamente* al final del curso.

Por pelos y sin excesos, y con un poco de generosidad por parte de su profesora, pero lo que importa es el resultado. Siguió destrozándole las revistas a mi madre y se volvió inusitadamente ahorrativo, tanto que ahora tiene varias huchas. No quiero pensar qué pretende hacer con el dinero, como tampoco quise preguntar cuando un día vi entre sus cosas la fotografía de una niña rubia y de ojos azules. Estaba dedicada con una letra un poco titubeante: «A ADOFO, SONIA». De todas formas, si me preguntan, estoy dispuesta a defender donde sea que mi hermano no es un maníaco. Es sólo que no se corta nunca. Nada más que eso.

A Roberto, que algo le debo después de haberle utilizado para empezar, seguí viéndole todos los días o casi todos los días, y durante muchos meses siguió mirándome con una cara que era mitad de cordero degollado, mitad de barón ofendido. Poco a poco nuestras relaciones se fueron normalizando, y aunque he podido observar en él algunos avances incuestionables, como que ha abandonado las alzas y ya no frecuenta tanto la amistad de Raúl y de Arturo, todavía le queda un largo camino que recorrer.

De Andrés, nunca más volví a saber nada. No me llegó ninguna carta más. Yo llegué a escribirle alguna que otra, pero deseché, porque era bastante absurda, la idea que alguna vez acaricié de enviársela dentro de un sobre que dijera:

ANDRZEJ
WŁOCŁAWEK
POLONIA

Porque eso era todo lo que habría podido mandarle. Mis vecinos polacos nunca habían puesto su nombre y apellidos en el buzón, y yo había sido tan negligente que nunca se lo había preguntado. Alguna vez me he tirado de los pelos por eso, pero cuando lo pienso fríamente, me doy cuenta de que tampoco tiene tanta importancia. Si Andrés recibía una carta mía, probablemente no iba a responderme. Según los malpensados, porque le habría pillado en su embuste. Según yo creo, porque si quería que le olvidara y siguiera adelante lo último que podía hacer era responder a mis cartas.

Sobre Andrés, y sobre todas mis cavilaciones acerca de él, sólo he hablado con Irene y con Silvia. A mis padres no puedo decirles nada, porque todas las tardes que fui con Andrés al Cerro de los Ángeles estaba desobedeciéndoles. A veces me parece que mi padre lo sabe todo, o que por lo menos sabe algo. Justo después de que Andrés y su familia desaparecieran y la policía viniera a registrar su piso, noté que me trataba de una forma especial, como si creyera que necesitaba apoyo. Pero ni él ni yo nos hemos decidido nunca a sacar el asunto. Con Silvia y con Irene es diferente porque ellas fueron siguiéndolo día a día, y hasta estuvieron presentes al principio. Cuando hablamos al respecto, hay una apasionada división de opiniones entre ellas. Silvia se pone de mi parte y opina que hay que darles prioridad a todas las pruebas que yo he podido reunir a favor de Andrés y de su historia. Aunque haya circunstancias que resultan extrañas y difícilmente explicables, Silvia cree que Andrés cruzó el Báltico hasta Riga, y que vivía en Varsovia, y todo lo demás que haya que creer. Sostiene que todo eso habría sido increíble si se hubiera tratado de otro, pero que bastaba ver y escuchar a Andrés para saber que había vivido experiencias fuera de lo común, y dice que por qué no pudieron ser precisamente aquéllas. Incluso para el libro de Conrad tiene una solución: a Andrés le gustaba porque era una historia que se parecía asombrosamente a la que él había vivido. Y justifica su interpretación de una forma contundente: si a alguien le pasara lo que Andrés me había contado, y después supiera de alguna forma que hay un libro como *La línea de sombra*, está claro que tendría que leerlo y tendría que gustarle. A veces es así. A veces la realidad imita a la ficción.

Irene, en cambio, es escéptica, y aunque sus argumentos no me gusten, no puedo dejar de apuntarlos, porque ella es mi amiga y me los da porque se preocupa por mí, y además no son ninguna tontería. Sería muy impropio de Irene que lo fueran. Según ella, yo fui quien le creó a Andrés la necesidad de inventarse una historia maravillosa acerca de Polonia. Antes de contarme nada, él notó mi interés y se fijó en cómo me llamaban la atención los nombres de los lugares. Un día, Irene me pidió que recordase quién mencionó antes Varsovia, y el Báltico, y el Vístula. Sólo pude responder que el primero que habló del Vístula fue él. Según Irene, yo le obligué a decirme que era de Varsovia, cuando en realidad venía de esa ciudad pequeña, Włocławek, porque Andrés vio la ilusión que me haría y lo que me impresionaría que él viniera de la ciudad que tenía ese nombre que despertaba mi fantasía. Después buscó más nombres sugerentes y con ellos construyó el itinerario de su viaje, inventándose al mismo tiempo una historia fabulosa, basada en el libro de Conrad y en sus recuerdos de los barcos que alguna vez habría visto en el puerto de su ciudad. Y hasta tal punto huyó de la realidad, añade Irene, que aunque el itinerario de aquel viaje pasaba por allí, por Włocławek, omitió su nombre. Debía parecerle, porque la conocía y sabía que era una ciudad industrial y pequeña, que ese nombre no me sugeriría nada.

A veces, resulta difícil creer que Irene tenga dieciséis años. Confieso que mi fe se resquebraja cuando la oigo exponer sus razonamientos, que nunca son improvisados y siempre descienden hasta las últimas sutilezas. Irene tendrá que decidir pronto a qué dedica esa inteligencia privilegiada, porque a pesar de todo no va a poder ganar todos los Premios Nobel, y sería una lástima que dispersara sus esfuerzos en tanto da con su vocación. Sin embargo, con la inteligencia no se resuelve todo. Hay otras cosas que ella no ve, aunque trato de contárselas. Comprendo que son cosas que casi se escurren entre los dedos, pero son. Andrés, la noche en que nos despedimos, no quiso engañarme, y aunque me lo dejara escrito en unas palabras polacas que yo no entendía, me dijo lo que me tenía que decir. Y esa misma noche, previendo todo lo que vendría después, previendo a lo mejor las propias teorías de Irene, me pidió que me acordase siempre de que yo era más que nadie para él, y de que a nadie le había abierto su corazón como a mí. Mientras me lo pedía yo escuché su voz y vi sus gestos, y la luz azul de sus ojos. Además, nadie le obligaba a fingir, porque iba a irse y lo más probable era que no volviéramos a vernos nunca. Antes de despedirse se paró a pedirme que me acordase y yo le dije que me acordaría. Y me acuerdo.

Sin embargo, hay al menos un punto en el que por ahora, y sólo digo por ahora, Irene tiene razón. Algo que sí parece bastante probable que fuera una mentira. Como tengo buena memoria, recuerdo que él se alteró un poco y se puso colorado, cuando le dije que me hiciera aquella promesa. Incluso yo misma he llegado a admitir que entonces me mintió. Entonces, cuando prometió llevarme algún día a Varsovia.

A propósito de Varsovia tengo que decir algo más, ahora. En todas las guías y libros sobre Polonia que estuve manejando después de que Andrés se fuera, me ocupé especialmente de averiguar cómo era en realidad aquella Varsovia que él nunca me había descrito. Casi todos los libros decían lo mismo: que era una ciudad sin mucha personalidad, porque la habían arrasado muchas veces y después de la última vez, en la Segunda Guerra Mundial, la habían reconstruido sin demasiado gusto. Según una de las guías, era una ciudad anodina que tenía un montón de espacios vacíos y algunos edificios horrorosos, como uno gigantesco que se llamaba el Palacio de la Cultura y de las Ciencias. De ese edificio, al parecer, la gente de Varsovia decía que era el sitio desde el que mejor se veía la ciudad, porque era el único sitio de Varsovia desde el que no se veía el propio edificio. Y en cuanto al Vístula, otro de los libros decía que casi todos los ríos en Polonia estaban contaminados, lo mismo que el aire, y que en general el país era una gran llanura sin mayor interés.

Había comentarios todavía más duros, y podría pensarse que con esto, la promesa de Andrés, fuera sincera o no, perdía bastante atractivo. Qué más daba si algún día podía conocer o no aquella ciudad y aquel país que a nadie le impresionaban mucho, sobre los que sólo había podido leer observaciones irónicas y despreciativas y que sólo eran maravillosos en mi imaginación. Pero una tarde, en una de mis expediciones a las librerías, me tropecé con una guía que no se sumaba al desprecio general. Esa guía hablaba del *lenguaje secreto de Varsovia*, algo que según quien la había escrito existía debajo del aspecto exterior de la ciudad, y que tenía que ver con la historia de su gente, de aquel país y aquella ciudad que tanto habían padecido y que tantas dificultades habían tenido siempre para salir adelante. Y después describía algunas de sus plazas, o las avenidas al lado del Vístula, y se veía que quien había escrito aquello sí que había encontrado algo, en Varsovia.

Naturalmente, me quedé con eso, con el lenguaje secreto de Varsovia, y me olvidé de todas las maldades que había leído en los demás libros. Si el encanto de Varsovia no era una cosa que saltara a la vista, y la mayoría se volvía sin verlo, eso era algo a su favor. Yo había elegido a Andrés y a Polonia precisamente por eso, porque a nadie le interesaban y porque todos les daban la espalda. Desde siempre había preferido los tesoros escondidos, los que nadie te disputa. Esos tesoros, como Andrés o como Varsovia (también Varsovia, estoy segura), cuando llegas hasta ellos, son los que más se hacen querer. Y aunque pueda considerárseme una ingenua, lo que terminaba de resolver la cuestión era algo que Andrés me había dicho nuestra última tarde; algo que en mi alma, porque creo en él y en las sensaciones que compartíamos, sé que es verdad: «Varsovia es lo que tú sueñas».

Pero me toca referirme a lo otro, a la mentira. Irene lo dice sin tapujos:

—Olvídate, Laura. Nunca vendrá para llevarte a Varsovia.

Cuando lo dice, incluso Silvia se queda callada y no lo discute. Yo repaso todo, las circunstancias, las probabilidades, los obstáculos, y pienso en el tiempo, en que a medida que vayan pasando los años, él se olvidará y quizá yo también me olvidaré. En ese punto, sólo se me ocurre contestarle a Irene:

—Bueno. Y qué si no viene. A fin de cuentas, lo que importa es la música.

Con eso me refiero a algo que Irene sabe, pero que a vosotros todavía no os he explicado. Con el tiempo, lo que me va quedando de Andrés, sobre todo, es la música. La música de su voz, mientras me iba contando su historia. La música de las palabras polacas que me dejó escritas en un billete de metro. La música de los nombres de todos aquellos lugares del norte. La música de Mark Knopfler, mientras veíamos Madrid desde nuestra atalaya. La música es lo que consigue que todos mis recuerdos sean tan plácidos y pueda disfrutar de tenerlos, aunque Andrés se haya ido y quizá no vaya a volver. La música, además, es la que hace que resulte indiferente la posibilidad que Irene defiende de que nunca existiera un barco que se llamaba el *Cormorán*, o de que Andrés no llegara hasta Riga, o de que jamás hubiera un ruso llamado Dobrinin que pagó su error de capitán sacrificándose generosamente por sus hombres y salvando a un Yusúpov que no se merecía salvarse. Sea cual sea la verdad, y aunque yo creo lo que creo y no la necesito para seguirlo creyendo, la música suena y sigue sonando y con eso es suficiente. Lo que un día parece verdad, al día siguiente puede parecer mentira, y la mejor de las teorías puede tener siempre un fallo. Pero la música es siempre la música. Y si suena, no hay más que decir.

Eso es lo que me pasaba con aquella promesa que me temía que Andrés nunca iba a cumplir. Con el tiempo, lo que menos importaba era eso, si la cumpliría o no. Importaba escucharla y escuchar la música que tenía dentro: «Algún día, cuando pueda llevarte a Varsovia»... Así era, nada más que música. Y nada menos. Un día Roberto me había preguntado qué había visto en Andrés, y yo le había dicho que todo era invisible. Roberto debía referirse a que Andrés era flaco y paliducho y además era polaco y pobre, y a que encima de todo había resultado ser un inmigrante ilegal, y mi respuesta había sido una forma de decirle que no juzgara sólo por las apariencias. Si me lo volviera a preguntar, sería más explícita: le diría que ese algo invisible era la música, y que prefería a Andrés, al margen de cualquier otra cosa, porque sabía encontrar en las palabras, incluso en las de un idioma que no era el suyo original, la forma de componer la música y dejarla sonando para siempre en tu corazón. Puede que mucha gente no entienda que te puedas enamorar de las palabras, pero habrá quien sí lo entienda. Irene, pese a todas sus suspicacias y pese a su convicción de que Andrés era un embustero, lo entiende.

Sin embargo, no quiero acabar sin haceros una confesión. Después de conocer a Andrés y de verle desaparecer tan de improviso, yo también he cruzado, como él cruzó en su día, mi línea de sombra. No la he cruzado como él, claro, porque a mí no me persigue la policía ni he tenido que emigrar a otro país. Pero aunque en general siga en el lado del sol, y ahí quiero seguir todo el tiempo posible (al menos mientras me obliguen a soportar todas las humillaciones que nos infligen a los menores de edad), hay algunos aspectos en los que ya no soy una niña. Algunos aparte de tener que ponerme sujetador, para los que siempre están pensando en lo mismo. Y por eso sé que a lo largo de mi vida, en el futuro, vendrá más gente con promesas, y que la mayoría de las veces serán promesas que no puedan cumplir, especialmente cuando se trate de las cosas que más me gustaría que se cumplieran.

Pero mi confesión es que a pesar de eso, alguna vez, cuando voy a mi atalaya y desde allí miro Madrid, tengo momentos de blandura y descruzo hacia el sol la línea de sombra. En esos momentos, en que echo de menos a Andrés y me acuerdo de él y de lo que me contaba, como le dije que haría si él volvía a su tierra, me da por creer que algún día, inesperadamente, alguna de las promesas imposibles se cumplirá. Y aunque así no se remedien todas las promesas incumplidas, sólo por eso habrá merecido confiar y no dedicarse sólo a buscar las debilidades y los defectos y los impedimentos, y todas las demás razones que nos sirven para sonreír con desdén y no dejarnos conquistar por lo que nos prometen.

Entonces tengo un sueño incontrolable: dentro de algunos años, Polonia prospera y Andrés consigue, después de muchos esfuerzos, el mando de un barco. Cualquiera se limitaría a disfrutar del cargo conquistado y a ir de puerto en puerto conociendo el mundo, pero Andrés está hecho de otra madera. Se acuerda de lo que me prometió, porque no es un capitán que se desentienda sin más ni más de sus responsabilidades. «Te llevaré, te lo prometo», me dijo, y eso no es algo que pueda quedar así. En las primeras vacaciones, viaja a España y viene a Getafe y al bloque. Yo no vivo ya con mis padres; me he independizado y vivo en un apartamento en Madrid. Le dan la dirección y va a buscarme sin perder tiempo. Llega por la tarde, es una tarde de verano, y cuando abro la puerta me dice:

—Hola, Laura. Tengo un barco esperándote, en Varsovia.

No sé, seguramente es una tontería, pero por qué no podría suceder. Tampoco voy a ponerme fanática ni caprichosa. Ya sé que los amores adolescentes es muy difícil que se reanuden años más tarde, y que es mejor que se queden en eso, en un bonito recuerdo. Pero si ésa es la pega, bueno, tampoco tiene por qué ser Andrés. Lo que digo es que por qué no. Quizá algún día alguien pueda llevarme a Varsovia.

Madrid-Getafe-Roma
26 de junio-20 de septiembre de 1997

Índice

LORENZO SILVA

Lorenzo Silva nació en Madrid en 1966.
Se dedica a la abogacía desde los veinticuatro años,
y a la literatura desde los catorce. Ha publicado
anteriormente varias narraciones breves y las novelas
Noviembre sin violetas (Madrid, 1995) y *La sustancia
interior* (Madrid, 1996). Con *La flaqueza del bolchevique*
ha quedado finalista del Premio Nadal 1997. *Algún día,
cuando pueda llevarte a Varsovia* es su primera novela
para Espacio Abierto.

CARTA AL AUTOR

Los lectores que deseen ponerse en contacto con el
autor para comentar con él cualquier aspecto de este
libro, pueden hacerlo escribiendo a la siguiente
dirección:

Colección ESPACIO ABIERTO
Grupo Anaya, S. A.
Juan Ignacio Luca de Tena, 15. 28027 MADRID

OTROS TÍTULOS
DE ESTA COLECCIÓN

Flanagan Blues Band
Andreu Martín y Jaume Ribera

Las cosas le van bien a Flanagan: Oriol Lahoz, un detective profesional, le ha contratado como ayudante. Su vida sentimental se ha estabilizado. Pero, de pronto... Un asesinato aparentemente absurdo. La víctima: el párroco del barrio, un anciano bondadoso e inofensivo. Resulta inconcebible que alguien pudiera tener algo contra él. Y mucho menos Oriol Lahoz, culpable a los ojos de todos, incluso a los de Flanagan, quien, sin siquiera darse cuenta, se ha convertido en «cómplice» del delito.

✓ **Policíaca**
✓ **Humor**
✓ **Misterio/terror**
✓ **Problemas psicológicos/sociales**
✓ **Amor/amistad**

Y decirte alguna estupidez, por ejemplo, te quiero
Martín Casariego Córdoba

Juan piensa que el amor es una estupidez, pero se enamora de Sara, la chica nueva de su clase. Cuando Sara le propone robar los exámenes, él no sabe decir que no a la aventura que ella le propone, porque está metido en otra aventura, la de su amor secreto. Ésta es también la historia del paso de la adolescencia a la madurez: en el año de la despedida de Butragueño, un ídolo para Zac, su hermano pequeño, Juan está aprendiendo a valorar eso que se llama «las pequeñas cosas».

✓ **Humor**
✓ **Problemas psicológicos/sociales**
✓ **Amor/amistad**

Dónde crees que vas y quién te crees que eres
Benjamín Prado

Dónde crees que vas y quién te crees que eres es una novela escrita con el peculiar estilo poético del autor. El protagonista de la historia es un gran lector, amante de los libros, entre otras cosas porque en muchos de ellos los personajes le enseñan que siempre hay una luz al final del túnel, por profundo que sea. Este lector voraz se dirige en barco a su ciudad natal y, a medida que la embarcación avanza, su pensamiento va retrocediendo en el tiempo, un tiempo en el que siempre lo acompañan los libros.

 ✓ **Aventuras/viajes**
 ✓ **Misterio/terror**
 ✓ **Ciencia-ficción/fantasía**

¿Y a ti aún te cuentan cuentos...?
Félix Teira Cubel

Una broma cruel le descubre a Ricardo que la opinión que tenía de su madre no se corresponde con la de los demás. Sólo contará con Andrea, una relación difícil, y con Sela, su amigo sordomudo. Ricardo comienza a pensar que sólo con el dinero podrá resarcir a su madre y vengarse de sus antiguos compañeros. Pero el tiempo y las circunstancias pondrán las cosas en su sitio. Pronto se verá en una situación límite, en la que sólo podrá contar con la ayuda de su amigo Sela y, sobre todo, con la de su madre.

 ✓ **Policíaca**
 ✓ **Aventuras/viajes**
 ✓ **Problemas psicológicos/sociales**
 ✓ **Amor/amistad**

Rebelde
Manuel L. Alonso

Eduardo —protagonista de una novela anterior, *El impostor*—
se ha convertido, tras la muerte de su padre, en un muchacho
solitario y desconfiado, para quien el mundo sólo ofrece
motivos para el pesimismo y la desesperanza. Sin embargo,
en su deambular por distintos lugares, se encuentra con dos
personas, Miguel y Ana, que le permitirán conocer la amistad
y el amor. Su relación con ellos le ayudará a superar sus
miedos y rencores.

✓ **Problemas psicológicos/sociales**
✓ **Amor/amistad**

Flanagan de luxe
Andreu Martín y Jaume Ribera

En esta nueva aventura de Flanagan reaparecen algunos
personajes de *Todos los detectives se llaman Flanagan*. Nines,
la pobre niña rica, intercede por Ricardoalfonso para que
Flanagan lo ayude. De mala gana, Flanagan accede y a partir
de ese momento se suceden unos trepidantes y peligrosos
acontecimientos. María Gual, su antigua socia, también
participará en esta nueva aventura. Ambos conocerán una
mansión en la Costa Brava y compartirán por unos días la
vida lujosa y frívola de Ricardoalfonso y los suyos.

✓ **Policíaca**
✓ **Humor**
✓ **Misterio/terror**
✓ **Problemas psicológicos/sociales**
✓ **Amor/amistad**

Con los animales no hay quien pueda
Emilio Calderón

Terminado el curso escolar, Nicolás Toledano empieza
a colaborar en la agencia de detectives de animales de la
que es socio su padre. Su primera misión es encontrar a un
chimpancé llamado Charlie, cuya fuga se ha producido tras
haber presenciado un crimen frente a su jaula. El chimpancé
sabe comunicarse por medio del lenguaje de los sordomudos,
lo que le convierte en el único testigo del crimen. Nicolás
ideará, junto con su mejor amigo, un original plan para
detener al asesino.

✓ **Policíaca**
✓ **Humor**
✓ **Aventuras/viajes**
✓ **Misterio/terror**
✓ **Amor/amistad**

Saxo y rosas
María Arregui

Una banda de cabezas rapadas irrumpe en la Plaza de
la Posada para agredir a unos inmigrantes. Este incidente
repercute en las relaciones entre Raquel y Germán, quien
se ve implicado como testigo y, casi de inmediato, acusado
de un delito que no cometió. Magda, amiga de Raquel y
hermana de uno de los agresores, decide ayudarla para
aclarar lo sucedido y conocer la verdad. Pero la verdad, como
dice uno de los personajes del libro, es muy pesada, hay que
llevarla a trocitos.

✓ **Problemas psicológicos/sociales**
✓ **Amor/amistad**

El chico que imitaba a Roberto Carlos
Martín Casariego Córdoba

Son los meses de verano en un barrio modesto de una gran ciudad. El narrador y Alber se entretienen haciendo pintadas reivindicativas. El narrador tiene como modelo a su hermano mayor, un chico solitario enamorado de Sira. En las fiestas, el hermano mayor canta canciones de Roberto Carlos, lo que le vale las burlas de los chicos de su edad. Cuando Alber y el narrador, por una tonta apuesta, tienen que hacer una pintada en la casa nueva del prohombre del barrio, el chico que imita a Roberto Carlos les ayudará.

✓ **Humor**
✓ **Problemas psicológicos/sociales**
✓ **Amor/amistad**

Hasta lo que sea
Martha Humphreys

Karen Thompson se entera de que una compañera de estudios, Connie Tibbs, está enferma de sida. Ambas coinciden en las clases de laboratorio de biología y les toca compartir pupitre. Todo el mundo sugiere a Karen que pida que le cambien de sitio. Sin embargo, el recuerdo de la amistad que mantuvieron años atrás y una conducta solidaria hacen que siga a su lado. A partir de ese momento, Karen tendrá que luchar contra sus propios temores y los prejuicios de quienes la rodean.

✓ **Problemas psicológicos/sociales**
✓ **Amor/amistad**